Disney · PIXAR
FINDING NEMO

THE ESSENTIAL GUIDE

Large eyes, ever-watchful for danger

Tail fin (personal rudder)

Lucky fin

NEMO

MARLIN

CRUSH

PEARL

GILL

BLOAT

JELLYFISH

KATHY

CHUM

GURGLE

Disney · PIXAR
FINDING NEMO

THE ESSENTIAL GUIDE

DORY

MARLIN

Written by Glenn Dakin

CONTENTS

DIVE IN!

Welcome to Nemo's world, the big beautiful ocean.
It's an amazing place, full of some of the most brightly
coloured sea creatures you'll ever meet. Join Marlin on
his journey from the Great Barrier Reef to Sydney, where
he meets the truly amazing animals that live in the warm
tropical waters of the Pacific Ocean. It is a sea teeming
with forgetful fish, friendly fish, happy fish, angry fish,
and extremely large fish! Dive into the adventure and if
you ever get stuck… just keep swimming!

Nemo

Nemo is a little clownfish with big dreams. Despite being born with a withered fin, Nemo is destined to explore. As a toddler, he would beg for his dad to part the tentacles of their sea anemone home and glimpse the surrounding reef. Now, Nemo can't wait to start school – and he hopes one day to meet a shark!

Nemo's dorsal fin (the one on his back) keeps him floating upright and steady.

Home Life

Nemo's father, Marlin, keeps a watchful eye on his son. Growing up, they would stay safe inside their anemone home. Now that Nemo is six, it is time for him to start school. His dad says the ocean is not safe, but Nemo thinks he is ready to face the dangers.

CLOWNFISH
Home: Indian & Pacific Oceans
Adult Size: 7.5 cm (3 in)
Food: Not fussy eaters
Fact: Clownfish come in a wide range of bright colours.

Lucky fin

Nemo's right fin is much smaller than his left fin, so he swims a bit off-balance, but it doesn't slow him down. Marlin calls Nemo's right fin his lucky one. You see, Nemo's mother and siblings were taken away by a hungry barracuda when Nemo was an egg. Nemo survived, but was born with a damaged fin.

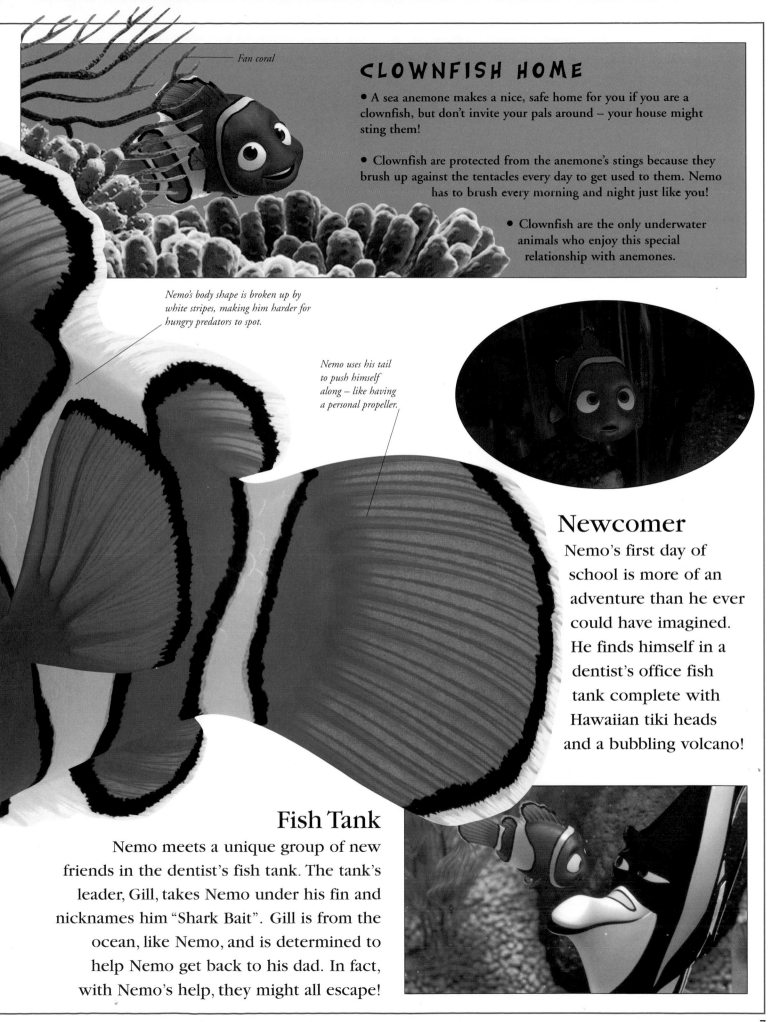

Fan coral

CLOWNFISH HOME

• A sea anemone makes a nice, safe home for you if you are a clownfish, but don't invite your pals around – your house might sting them!

• Clownfish are protected from the anemone's stings because they brush up against the tentacles every day to get used to them. Nemo has to brush every morning and night just like you!

• Clownfish are the only underwater animals who enjoy this special relationship with anemones.

Nemo's body shape is broken up by white stripes, making him harder for hungry predators to spot.

Nemo uses his tail to push himself along – like having a personal propeller.

Newcomer

Nemo's first day of school is more of an adventure than he ever could have imagined. He finds himself in a dentist's office fish tank complete with Hawaiian tiki heads and a bubbling volcano!

Fish Tank

Nemo meets a unique group of new friends in the dentist's fish tank. The tank's leader, Gill, takes Nemo under his fin and nicknames him "Shark Bait". Gill is from the ocean, like Nemo, and is determined to help Nemo get back to his dad. In fact, with Nemo's help, they might all escape!

Marlin

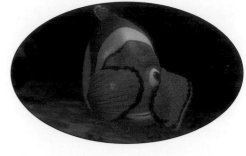

Nemo's dad Marlin is the most devoted parent on the reef. He's determined to look after Nemo and make sure that nothing bad happens to him. When a human diver catches Nemo, Marlin sets out on an heroic trek to find him, and becomes famous as the ocean's most daring dad. Marlin is proud of being a clownfish, and would be a funny one, too – if anyone ever let him finish a joke!

Devastated by a barracuda attack on his wife and family, Marlin constantly reminds his only son, Nemo, that "Danger is everywhere..."

Life Story

Marlin was born into a large family in Australia's Great Barrier Reef. One of 103 brothers and sisters, he was constantly trying to get attention by telling jokes – but no one seemed to be laughing. When he finally met a girl fish who found him funny, he decided to stop clowning around and married her pronto.

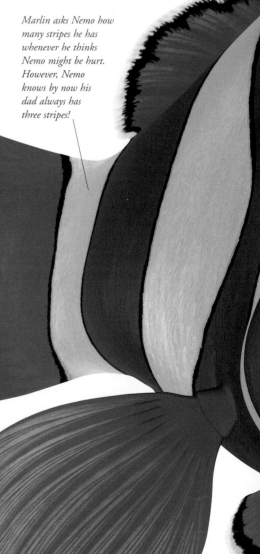

Marlin asks Nemo how many stripes he has whenever he thinks Nemo might be hurt. However, Nemo knows by now his dad always has three stripes!

Marlin makes sure Nemo follows proper procedure when leaving their home. That is: go out of the anemone, look for danger, swim back in, go out, look for danger, and back in again.... Often, Marlin forgets why they wanted to go out in the first place!

Trust Dory

Marlin meets a blue tang named Dory on his quest to find Nemo. They become friends. In fact, it is Dory who helps Marlin become a better father. She makes him realize that if he never lets anything happen to Nemo… nothing will *ever* happen to him!

A special layer of goo protects clownfish from anemone stings.

Marlin's large eyes are ever-watchful for danger.

MARLIN'S TOP FEARS

• Attack by barracuda: these spear-toothed eating machines shred first and ask questions later.

• No one will help him: all Marlin wants to do is find his son, but friendly fish can be hard to come by. He is especially frustrated by moonfish, who would rather do impressions than give directions.

• Becoming fish and chips: Marlin thinks that everything in the sea is waiting to eat him. However, after battling the ocean to rescue his son, he gets nicknamed Superfish… not bad for a fish from the reef.

Marlin is often amazed by his new friend Dory. They found a diver's mask that could be a clue to tracking down his son, they escaped a hungry shark, they survived an explosion… and she still has time to dream of bad haircuts!

Dory

She may seem to be the ocean's biggest bubblehead, but Dory is one feisty fish with hidden talents! Not much is known about her past, because she can't remember any of it! If you ask Dory about her family she'll probably say, "Sure, I have a big family… hey! Where'd they go?" But Dory always remembers to care about important things, like her friends and helping people in trouble.

Regal tangs start out life yellow, just like Dory's tail is now; they gradually turn blue as they grow up.

Meeting Marlin

Dory and Marlin do not exactly start off as best friends. She promises she can lead him in the right direction to find Nemo. But when Marlin follows her, she forgets what she is doing and tells him to leave her alone!

Reading Human

Marlin and Dory find a clue: a mask with human writing. Luckily, Dory can read it. "P. Sherman, 42 Wallaby Way, Sydney," it says. And for the first time she doesn't forget! She's so excited she repeats the address over and over and over and over....

Dory has bigger eyes than Marlin, as tangs get around more than clownfish and need to see in deeper, murkier places.

New Friends

Dory loves to play games. When a school of moonfish offers to play a game of charades, she can't resist. She is not very talented at charades, often mistaking a clam for an octopus. But it's a good thing she makes friends easily. These moonfish know the way to Sydney, Australia!

One of Dory's very special talents is the ability to speak whale. So far, she's mastered humpback, grey whale, and speaks three dialects of orca.

Dory points the tip of her fin toward her mouth when deep in thought.

Tangs use their fins to zoom around really fast.

DORY DATA

• Favourite song: Keep Swimming (written and composed by Dory!)

• Hobbies: languages – along with whale, Dory can speak 42 fish dialects and is currently studying conversational plankton.

• Favourite food: can't remember.

Coral Reef

The reef is a teeming metropolis, a great city of coral under the sea. It's the place where all the most weird and wonderful fish in the world get together to hang out... and, well, just be fish! It's also home to Nemo and his dad.

Reef Life

Life may look chaotic on the reef near Nemo's home, but really it's a well-organized society. There are swimming lanes instead of traffic lanes, coral stacks instead of apartment blocks, and nice sandy beds to sleep in at night.

The Great Barrier Reef is the world's largest coral reef. It is home to 1,500 species of fish and 400 different types of coral. The reef is young compared to other coral reefs – it is only 500,000 years old!

Hard corals provide homes for many busy little fish, who defend their own corners against strangers.

Nemo and Marlin
live in a cosy anemone far
from the open ocean.

REEF INFO

*Bright colours are helpful
when crossing a busy fish
stream at night.*

• Bright colours on a fish help it to
attract a mate. Of course, there's
no telling if they'll get along.

• Corals are the snack bars of
the sea. Tiny sea plants grow
with them and produce a constant
source of food. Open 24-7, customers
are never turned away, which proves there actually *is*
such a thing as a free lunch!

Bert

• Anemones may look rooted to the spot, but if they
run short of food, they can slurp off to a new picnic-
spot by creeping along on their
sucker-like bases – and then eat
anything they find there!

*Attention-grabbing
shiny scales*

• Spanish dancers are reef
creatures that flamenco-dance their
way out of trouble, flapping the
hems of their brightly patterned
"skirts" at unwanted followers.

Maria the
Spanish dancer

Hutch

*Tentacles used to
smell food!*

Organ pipe corals extend
their feeders at night to grab passing
snacks, and close during the day.

Brain corals look like
human brains, but they're no
smarter than any other corals.

Fish School

Sand colour good for... well, mainly hiding in the sand

Fish love to get together in a school! Learning is fun with Mr Ray in charge, who studied at the world-famous Barrier Reef Fish School. He loves to teach and also to sing. In fact, he sings while he teaches. "My songs have information, my songs have entertainment! Put them together and you get entertain-o-mation!" Judging by the class test score, Mr Ray's teaching philosophy is paying off!

Pay Attention, Class!

Nemo's class is made up of all kinds of reef fish. The children all seem to get along, but Mr Ray has two strict rules that every student must follow... learn and have fun!

RAYS
Home: Seabeds worldwide
Size: up to 8.8 m (28.8 ft) long
Animal group: Rays are related to sharks.
Fact: Rays are known to be intelligent creatures.

Eyes raised above head to see when napping on sandy bottoms

Wing-like fins for gliding slowly through the water

Welcome aboard! Mr Ray can't imagine kids finding school boring. He thinks of them not as pupils, but as fellow explorers of the sea. As he likes to sing: "A life of science is filled with wonder, when facts of the sea are ours to plunder!"

Mr Johannsen

Mr Johannsen is the neighborhood grump. This cranky flounder hates it when the reef kids play in his sandy yard. Fortunately, he is never able to catch the kids because he only has eyes on one side of his head!

Large, grumpy mouth

The other dads are surprised to see Marlin finally bringing Nemo to class. Sheldon's dad urges the kids to treat Nemo kindly. "Be nice! It's his first time at school!"

Jumping on Mr Ray

Mr Ray is so keen to show his pupils the world about them that he even doubles as a school bus. His wings provide the seating room – just don't stick kelp gum under the seats! Mr Ray also takes the swimming team to their tournaments. Go, Fighting Plankton!

White dots help rays to hide in sand on the sea floor

SCHOOL LIFE

• The students at reef school don't have books. Instead of a whiteboard, they draw pictures in the sand. At playtime, they use the sponge beds as a trampoline.

• Señor Seaweed is the school's music teacher. The school has lots of instruments, including sand-dollar tambourines, a kelp guitar, and a clam drum set. Unfortunately, clams don't appreciate being played!

• Kathy is the class techno-wiz. She dreams of one day inventing a synthetic oxygen lung so she can breathe above water and discover the uncharted territory above the sea.

Kathy

Strong teeth

School Friends

At first, Nemo's fellow pupils don't seem a very friendly bunch. Tad even tells Nemo he looks funny! But when Marlin explains to the other kids about his son's "lucky" fin, Nemo soon finds out that Pearl has one tentacle slightly shorter than the rest, and that poor Sheldon is "H2O intolerant" (water makes him sneeze!). So Nemo feels right at home with his new pals.

Is Nemo ready for school, or should he wait another five or six years, as his dad suggests?

False "eyespot" fools predators into thinking the fish is looking the other way

Some butterfly fish use their fins to leap right out of the water to catch flies!

BUTTERFLY FISH
Home: Coral reefs
Size: 12.5 cm (5 in) long
Food: Use long snout to poke in between rocks for food
Fact: Get their name from their habit of flitting around the reef

Tad

Tad is a long-nosed butterfly fish who loves to have fun. Because he is so smart, Tad gets bored easily and makes trouble just to get attention. Unfortunately, he often gets caught and has to clean the eraser sponges after class.

Making Friends

"C'mon Nemo!" Nemo soon finds out that his new friends are the coolest kids in the school. And maybe at last he'll discover whether everything his neighbourhood friend, Sandy Plankton, says is true. Sandy told Nemo that turtles live to be a hundred!

Male seahorses give birth to babies!

On the very edge of the reef, Nemo and his new friends excitedly discuss the sight of a mysterious floating object from the world of humans. Sandy Plankton says it's called a butt. It's actually a boat. Wouldn't it be cool to try and touch it? Big mistake, kids!

Sheldon

A kid seahorse, Sheldon likes to gallop around the reef with his pals. His sneezing sends him backwards all the time, which means he is always the last one to touch base in a game of tag.

Octopuses propel themselves along by sucking water into their bodies and blowing it out again.

Curly tail used to grip onto seaweed

SEAHORSE
Home: Warm waters
Size: 5–36 cm (2–14 in)
Fact: Seahorses swim upright, rapidly waving their fins to move themselves

THE OTHER DADS

• Tad's dad, Phil, is a long-nosed butterfly fish who had a hard time himself when his first kid started school. Ten kids later, he is an old pro.

• Pearl's father, Ted, is a flapjack octopus. He thinks it is a pity that Marlin is a clownfish who isn't funny.

• Sheldon's dad, Bob, is a seahorse who always keeps a healthy supply of slimy kelp tissues on hand for his H2O-intolerant son. By the way, he doesn't appreciate being called "Pony Boy".

Pearl

Pearl is a little flapjack octopus. Her friends like to scare her because octopuses spurt black ink when frightened. (Pearl hates inking in public.) Nonetheless, she is one of the most popular kids at school and is the star football player. She has eight great feet!

OCTOPUS
Home: Atlantic and Pacific Oceans
Size: up to 45.5 cm (18 in)

The Drop-off

Welcome to the edge. This is where the reef ends and the unknown realms of the ocean begin. Marlin thought it would be a great place to raise his kids, until they were taken away by a barracuda. When he finds out that his son is headed there on his first school trip, Marlin immediately chases after him.

Nemo!

The Drop-off is the perfect place for divers to anchor their "butts" and explore the reef. Nemo dares to "touch the butt" to spite his father and impress his new friends. But everything goes wrong when a diver captures him by surprise.

Plate corals provide handy shade on a sunny day, but watch out – dark corners are a great place to meet up with some nasty predators….

Fish Out Of Water!

The diver's boat speeds away, knocking Marlin back in its wake. Marlin gives chase, but already it is too late. The boat is gone. How will he ever find his missing son?

Sea-fan coral branches out into fan-like spreads that can make a great shelter – a good place for tired fish to take a rest from pesky strong currents.

Organ pipe corals: warning to tiny lifeforms – don't stick your ear down there to listen for a tune. There's a live polyp inside that's dying to nab you with its tentacles.

Barrier reefs grow along coasts where the water is warm and shallow. Beyond this, the sea floor is much deeper, and it gets too cold and dark for corals to live. So at the edge of the reef, there's just the big mysterious sea....

The Tank Gang

Fin shortens as fish ages – so the youngest are often the tallest!

Thin body for slipping in among the cracks and crevices of coral reefs

Withered fin from the poor conditions in a previous fish tank

When Nemo wakes up in a dentist's fish tank, he doesn't know what to expect. Certainly not the group of stir-crazy fish who greet him – the Tank Gang. And every gang needs a mastermind to cook up ingenious plans. Let's meet Gill, and some of the wacky characters who live at 42 Wallaby Way, Sydney.

Scars from landing on surgical instruments after failed escape attempt

Gill

"Fish aren't meant to be in a box, kid… it does things to you!" That sums up the attitude of this moorish idol fish who always has an escape plan up his sleeve. Gill knows no fear. He is confident that, as he says, "all drains lead to the ocean."

MOORISH IDOL

Home: Tropical waters

Temperament: Moody fish that fights back if cornered

Size: 20 cm (8 in)

Fun fact: Colourful stripes help moorish idols hide in the reef.

Finest moulded plastic

Gold-effect tooth

The tank's plastic skull serves as a cosy sanctuary for Gill. It reminds him of home. However, this version is made in Japan from recycled materials.

HUMBUG

Home: Tropical
waters
Temperament:
Peaceful
Size: 8 cm
(3 in)

*Deb's reflection
(but don't tell her!)*

Jacques spends many
hours hanging out in
the tank's diving
helmet. It makes him
feel like a deep-sea
explorer.

Jacques

Jacques is a cleaner
shrimp. He was once the
official cleaner of the President of France's
fish tank. When Jacques retired, he was
given as a gift to the Prime
Minister of Australia, who
in turn gave Jacques
to his dentist.

CLEANER
SHRIMP

Size: 5 cm (2 in)
Fact: Cleaner shrimp
"clean" fish by eating
tiny animals off
them!

Deb

Deb is a black and
white humbug who loves
her own reflection – not that she's vain,
she just thinks it's her identical sister, Flo.
A reflection follows you around loyally,
and when you're feeling low, it does too!

GILL'S PAST

• Gill was a carefree reef-rat as a kid. He fell in
with a gang of adventurous fish who set out to
see if they could swim around the world before
dinner. Guess what – they got hungry and came
right back home.

• It was on one of these outings that Gill and
his mates were captured and ended up in a pet
store. One by one, his friends accepted their fate.
But Gill refused to be tamed, and believes that,
like Nemo, he can get back his freedom by
returning to the ocean, his home, and his family.

More Gang!

Ever thought how dull it would be to be stuck in a fish tank all day? Well, think again – being part of this kooky crowd makes captivity almost seem fun… but the one thing that keeps them all going is the eternal hope of escape. Well, that and placing bets on how many fillings each customer is going to need!

Spines point outward at right angles to his body, so Bloat doesn't pop himself!

Bloat

Bloat is a short-tempered blowfish. He looks just like a regular fish until he gets riled, and then he literally blows up with rage! When Bloat was little, his big brother used to bat him around like a volleyball and that just made him angrier. Blowfish are one of nature's most amazing creations, but Bloat doesn't have an inflated view of himself!

Inflation is possible because of elastic skin and no ribs

Fins used for flapping

Bloat looks a lot less alarming when he is deflated. Blowfish use their blowing-up gimmick to scare off undersea bullies.

Spines are poisonous

Bubbles

Bubbles likes to chase bubbles. That's why he's named Bubbles. The source of Bubbles' bubbles is a treasure chest at the bottom of the fish tank. Bubbles rarely catches any bubbles.

The tank's treasure chest unleashes bubbles at a rate of 100 per second.

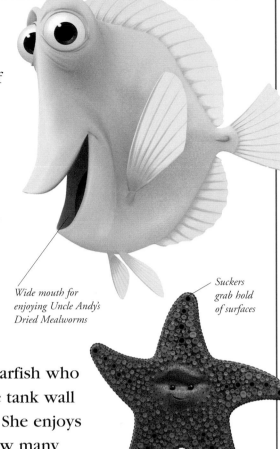

Wide mouth for enjoying Uncle Andy's Dried Mealworms

YELLOW TANG
Size: 20 cm (8 in)
Behaviour: Dart about at great speed!

Suckers grab hold of surfaces

Neurotic fin-in-mouth gesture

Peach

Peach is a starfish who clings to the tank wall all day long. She enjoys counting how many coffees the dentist has had and predicting his next toilet break.

STARFISH
Home: Sea floors
Fact: If a starfish's arm is cut off, it will grow back again within a year!

Gurgle

Gurgle grew up in a crummy pet shop. His tank was choked with slime. In fact, he thought he was green until the day he was put in a plastic bag for delivery to another tank, and the gunk was washed off. Now he's sworn never to be dirty again!

Royal gramma fish are known for their rainbow colours.

ROYAL GRAMMA
Home: Coral reefs
Size: 7 cm (3 in) long
Temperament: Like their own space

After Nemo is initiated into the tank's club and given the nickname "Shark Bait", Gill explains that he is the key player in their escape plan. Is Nemo up for the task?

Tank Life

To outsiders, it's just a fish tank in dentist Philip P. Sherman's office. But to Gill and the gang, it's home. With its bubbling electric volcano, Polynesian village, and plastic gravel, it's a strange place to live – with some very bizarre rules and rituals....

Dental Diagnostics

To the gang, dentistry is a serious spectator sport. They have learned all the jargon and can spot a tricky molar extraction diagnosis from X-rays at over 10 metres. Peach is the real dentistry expert. She hopes that one day she'll be called on to spring into action and finish a root canal that the dentist can't handle.

The fish sometimes use pebbles to bet on a patient's diagnosis.

Tiki heads were found in a discount bin at Bob's Fish Mart

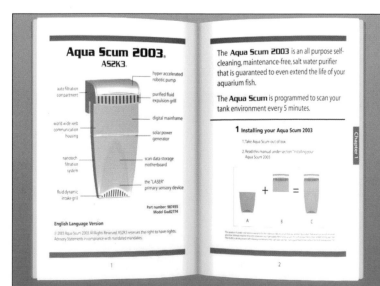

THE AQUA SCUM 2003

- Gill's plan is to jam the gears of the tank's filter system with a pebble. With the filter broken, the water will get dirty. Then, when the tank is cleaned manually, the fish will be put into plastic bags and they can roll out the window to freedom.

- This ingenious plan fails when the Aqua Scum 2003 is installed. It's an all-purpose, self-cleaning, maintenance-free, salt-water purifier.

- This device laser-scans the tank every five minutes, so it will never become dirty again! Gill's master plan is ruined... but on the bright side, the water does feel kind of softer on the scales.

The tank sits in the wall between the lobby and the exam room. The fish hold secret meetings at the volcano they call Mt Wannahockaloogie. It is here that Nemo swims through the ring of fire (actually a stream of bubbles) to join the gang! "Ah-hoo-wah-hee. Ah-ho-ho-ho!"

Mount Wannahockaloogie adorns the lobby side of the tank.

PH-balanced saltwater

Fake corals remind the fish of home

Chuckles used to spy on the dentist from the ship's crow's nest.

Tank Ship

The tank's pirate ship faces the exam room. The fish usually avoid the ship because it reminds them of their old pal, Chuckles, who was a present for the dentist's niece, Darla, last year. Unfortunately, Darla shook the bag too hard and Chuckles went belly up. The tank gang tried to lower the flag to half mast, but sadly it doesn't move.

Dentist's Lobby

With its sailing-theme wallpaper and hanging life preservers, Philip Sherman's lobby says a lot about the man. For Philip Sherman, dentistry is a way to support his true love: scuba-diving! He would prefer a deep-sea dive to a molar extraction any day. However, Phil continues the family line of Sherman dentists. His great-great-grandfather opened the practice on Wallaby Way in 1895.

P. Sherman graduated second from last in his class, but the awards on his wall tell a different story.

Buzz Lightyear action figure   *Darla's drawings*   M is for Monster *book*   *Fish tank in specially built hatch*

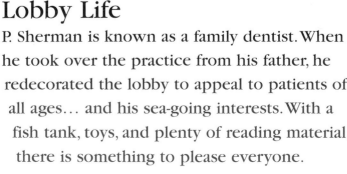

Take a Wiff O' WILDLIFE Scratch N' Sniff
SCRATCH ME HERE!
We've got koalas, bats, rats, dingo, platypi... Don't be shy!

FISHKEEPING
UA SCUM 2003: Does it deliver?
Learn to say No to your fish
ot trying to be ish than I am!

History of Australian DENTISTRY Journal
Getting Medieval on that Mouth
17th Century Gum Leeching Techniques
Hoof in Mouth Plague pg. 80
June 2003 US $10

Lobby Life

P. Sherman is known as a family dentist. When he took over the practice from his father, he redecorated the lobby to appeal to patients of all ages... and his sea-going interests. With a fish tank, toys, and plenty of reading material, there is something to please everyone.

THE DIVING DENTIST

- Dr Sherman often goes diving with his old chums from dental school at Alice Springs University. They call him "Skip" – since he had a lucky skipper cap he would wear during exams.

- Philip Sherman is the captain of his dive boat, *The Aussie Flosser*. He hopes to sail around the world when he retires from dentistry.

- Pet peeve: having to buy sugar-free products all the time in case he bumps into another dentist in the supermarket.

Face mask – always label clearly with your name and address!

Luminous stripes make Dr Sherman look slimmer

Philip Sherman never takes fish from the reef except when he finds one "struggling for life" with an injured fin.

Luxury brace set, received at special discount

Darla

Darla Sherman is a pupil at Waltzing Matilda Primary School in Sydney. She loves fish and always shakes the bag with excitement when she gets one. However, she thinks her uncle has very sleepy fish. Maybe the silly gas gets to them, too?

P. Sherman's appointments calendar

Chuckles

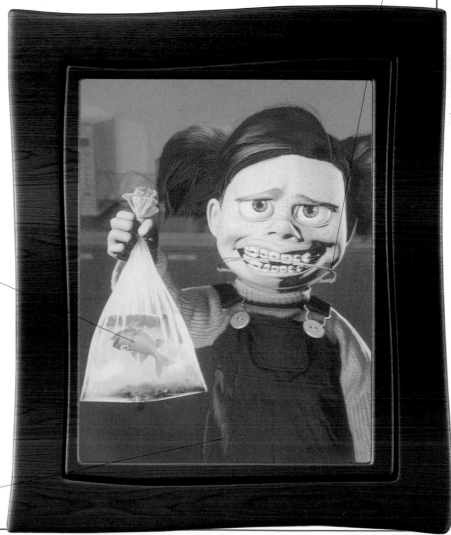

Lucky Darla always gets a free check-up from her uncle on her birthday... and a present. Last year, after Darla's fishy present died, her uncle bought her now-favourite sweatshirt which says "Rock 'n' Roll Girl".

Overalls stained with brown milk after accident with bowl of Chock-O's sugar-coated caramel cube cereal

Exam Room

Here it is – Philip Sherman's exam room, where all the action takes place. Many famous patients have come through the doors of this room for a painless root canal or cavity filling. It is a good thing that the fish in the tank can't talk!

With no wife or kids to lavish gifts upon, Dr Sherman pours all his money into toys, whether it's an ocean-going dive boat, the latest Deluxe Relax-o-matic Dental Activity Facilitator (that's the chair), or just a brand-new pair of *really* sharp tools.

High-tech oral implement

The fish tank – patients like to have something to fix their attention on when they are "in the chair"

Your Mission

Should you wish to accept, your instructions for escape are detailed below. Good luck, fish.
1. Once in your plastic bag, roll across the counter to the ledge and out the window. (Make sure the window is open before attempting.)
2. Aim for the awning to cushion the drop.
3. At the street, look both ways before bag-rolling.
4. Bounce over the pilings and into the harbour to the big blue!
Mission accomplished!

TANK HOOD #A65412385-48981
© 2000 Patent Pending
Manufactured in Sydney, Australia

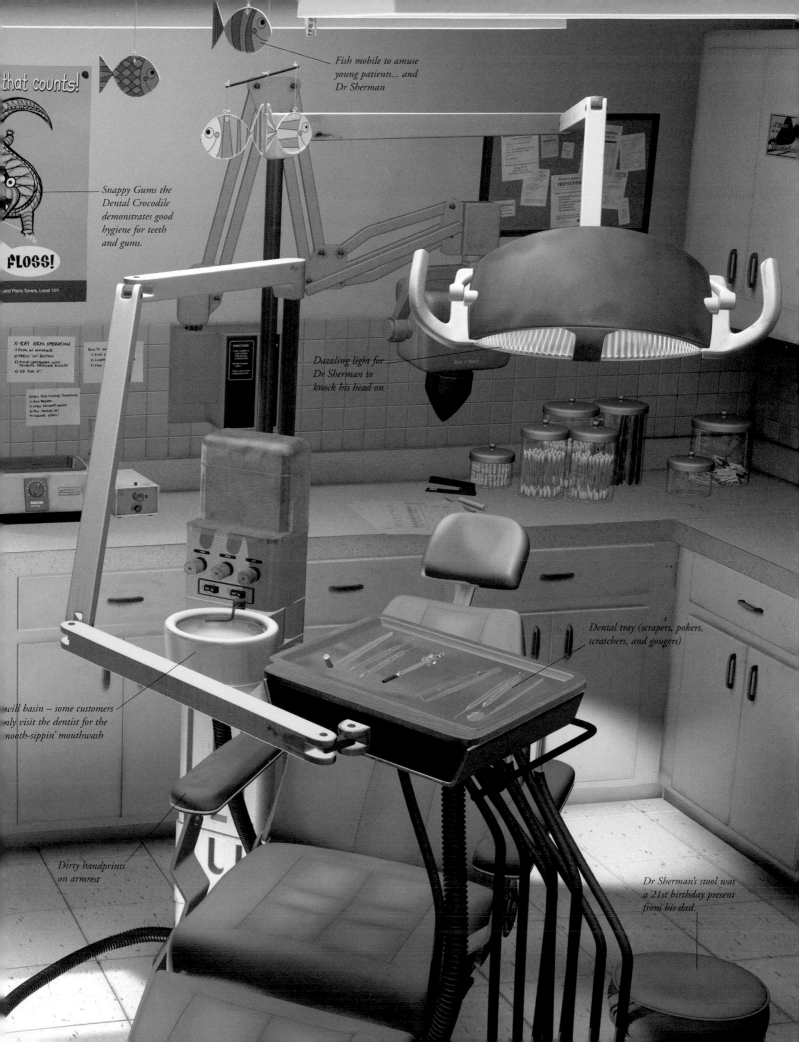

Fish mobile to amuse young patients... and Dr Sherman

that counts!

Snappy Gums the Dental Crocodile demonstrates good hygiene for teeth and gums.

FLOSS!

and Piano Tuners, Local 101

Dazzling light for Dr Sherman to knock his head on

X-RAY ARM OPERATION

Dental tray (scrapers, pokers, scratchers, and gougers)

...will basin – some customers ...nly visit the dentist for the ...nooth-sippin' mouthwash

Dirty handprints on armrest

Dr Sherman's stool was a 21st birthday present from his dad.

Bruce

G'day mate! The lovable guy with the chainsaw smile is Bruce, a great white shark born and raised on the Great Barrier Reef. He looks like a real terror of the deep, but appearances can be deceiving – Bruce is a shark with a crusade! He has created a vegetarian group, because he wants to change the bad image sharks have for chewing up just about everyone they meet. His slogan is "fish are friends… not food!"

Bruce is a persuasive public speaker at his anti-meat-eating meetings. Despite ravenously chasing Marlin and Dory, he will always consider them members of his group. If they get into any future scrapes, they'll have a cool buddy to call on!

Tail is used for steering, moving, and speed control

GREAT WHITE
Home: Warm waters
Size: About 4 m (13 ft) long
Favourite food: Bruce thrives on vegetarian kelp salad but most sharks eat fish.
Fact: Great whites have 3,000 teeth!

Body built like a torpedo for speed

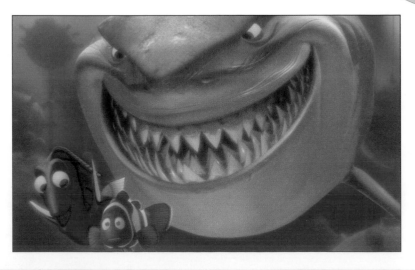

Friends For Life
When Bruce meets Marlin and Dory, he is keen to make a good impression – not eating them is a good start. He invites them to his next party, which is held in a sunken submarine.

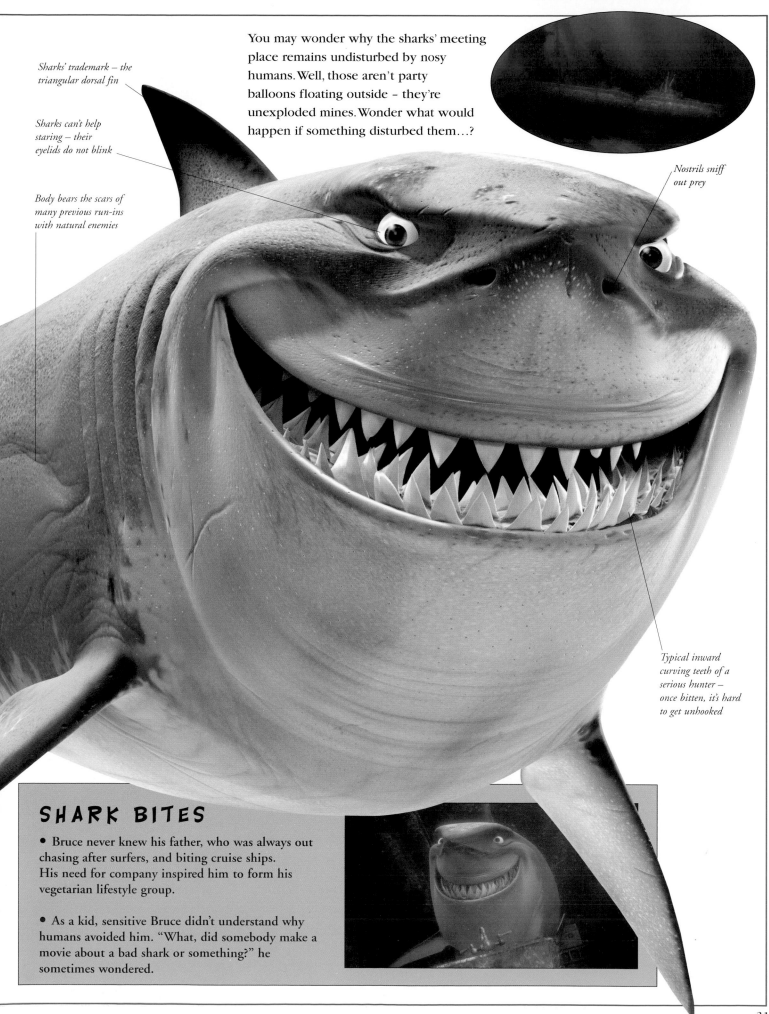

Sharks' trademark – the triangular dorsal fin

Sharks can't help staring – their eyelids do not blink

Body bears the scars of many previous run-ins with natural enemies

You may wonder why the sharks' meeting place remains undisturbed by nosy humans. Well, those aren't party balloons floating outside – they're unexploded mines. Wonder what would happen if something disturbed them…?

Nostrils sniff out prey

Typical inward curving teeth of a serious hunter – once bitten, it's hard to get unhooked

SHARK BITES

• Bruce never knew his father, who was always out chasing after surfers, and biting cruise ships. His need for company inspired him to form his vegetarian lifestyle group.

• As a kid, sensitive Bruce didn't understand why humans avoided him. "What, did somebody make a movie about a bad shark or something?" he sometimes wondered.

Anchor & Chum

Bruce, Anchor, and Chum met at a feeding frenzy. Being good guys deep down, they felt racked with guilt at pigging out on so many of their finny brethren, and decided to form a vegetarian shark society. They take it in turns to bring snacks to their weekly meetings. Sushi is frowned upon, but a nice seaweed sandwich keeps them satisfied.

Today's meeting is Step Five: Bring a Fish Friend. Chum, unfortunately, seems to have misplaced his friend.

Anchor

This happy hammerhead is self-conscious about the irregular shape of his head, and appreciates his mates not teasing him about it. He always avoids swimming with swordfish and spiral-toothed narwal, because he thinks that together they'll look like an underwater toolbox.

Super hearing – hammerheads can even hear air-bubbles moving through the water (so be careful what you eat before diving!)

Hammerheads use their tail fins to twist and turn.

Each tooth is jagged, making it quite unreasonably sharp.

HAMMERHEAD
Home: Warm waters
Size: 3.5 m (1.5 ft) long
Shark fact: Like to have "fun" with stingrays by pinning them down with their hammerheads and "playfully" nipping their wings!

Big belly

The highlight of any club meeting is the chance to offer up your testimonial and tell your fish brothers about your problems. Remember, you are a nice shark, not a mindless eating machine.

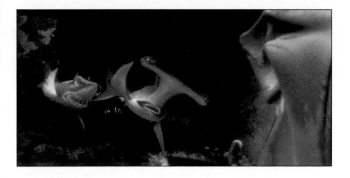

The sharks are keen to show their enthusiasm for the fish-free diet, none more so than Anchor. He loves giving things up, and even tried to give up swimming once! But since sharks need to swim to breathe, this idea didn't last long.

Experts are still not 100% sure, but they think the wide-apart eyes and nostrils help the shark detect prey with pinpoint accuracy.

Blenny is still overcoming his fear of sharks.

Blenny

Chum

Secretly something of an upper-class shark, Chum is a mako who likes to hang with Bruce and Anchor. He puts on a rough-sounding accent he learned from a caretaker at his posh predator boarding school. Chum worries he'll be spotted one day by his hoity-toity friends, fraternizing with the local reef-raff.

MAKO SHARK
Home: Warm waters
Character: Unpredictable
Size: 2.4 m (8 ft) long
Top speed: 35 kph (22 mph)
Hobbies: Stalking dolphins (who think they're so cute)

Souvenir of a recent tussle with a fisherman (Chum won)

Dark eyes allow Chum to look smarter than he really is

Makos pride themselves on having the sleekest bodies of all sharks.

Dapper white underside sets off the dark gray-blue top well

Huge, curved teeth – Chum's pals often call him "old snaggletooth" (but not to his face, of course)

Sunken Sub

Lying on the ocean floor, the submarine is a relic of an old sea battle. Its once shining corridors are now rusted, and have become a battleground in the fight against eating fish. The sharks meet here to battle their hunger for fish and change their bad image. To do this, they must first change themselves.

They cram just about everything into a sub, including the kitchen sink – and here it is.

The sharks hold meetings in the sub's dining room, known as the mess hall. Actually the whole sub is a bit of a mess, but that's another story. We've taken the liberty of adding another hole in the ship to show you Marlin and Dory's race through the sub from the hungry Bruce.

The mess hall – bring a friend!

UNDERWATER HANG-OUT

• The submarine was lost during World War II. It went down in heavily mined waters, but suffered surprisingly little damage.

• The sharks have been using this wreck as a hang-out for years. But it is about to be relocated… by a massive explosion. When Dory and Marlin needed a safe place to hide from Bruce, maybe a torpedo tube wasn't the best idea ever….

Let Us Out of Here!

The frantic chase through the submarine leads to a sudden dead-end, which is not what Marlin and Dory were looking for – especially with a shark on their tail. Marlin desperately searches for an escape when Dory reads a word she pronounces as "Es-Cah-Pay". Funny, it's spelled just like "Escape".

Deck-mounted cannon, now home to a small family of reclusive peanut worms.

Number and name of vessel, long since covered by marine growth.

Torpedo tube – try to avoid being locked in one.

Barnacles: crustaceans which will grow on just about anything, even whales… and subs!

- - ➤ Nemo's and Dory's route

- - ➤ Bruce's route

The Abyss

Welcome to the place where it's always night! At the bottom of the ocean, there's no light – just a cold, inky blackness filled with creatures that are the stuff of nightmares. The trouble is, these nightmares are real! The abyss dwellers are delighted to see anyone that ventures down from the seas above… because it's always nice to have a midnight snack.

Anglerfish use an elongated spine as a fishing rod.

Millions of glowing bacteria live inside the "lure," creating a lightbulb effect.

Small eyes, as there is usually nothing to see in the abyss, and never anything good on TV

Fearsome Depths

When Marlin and Dory swim into the darkness of the abyss searching for the diver's mask that could lead them to Nemo, Dory becomes disoriented. She thinks Marlin's voice is her conscience. It's a creepy place that plays tricks on your mind – like seeing ghostly lights….

Teeth curve inwards to ease prey in, and prevent a swift exit

A friendly light seems to call to you, inviting you to come and bask in its glow. Down in that murk, it's the most welcome sight you've ever seen. You want to get closer and reach out to it. SNAP! You just got caught by the fisherman of the abyss. He's the deep-sea anglerfish, and you took the bait!

ANGLERFISH FACTS

- Anglerfish make their living not by means of speed or power, but by a clever gimmick. Rather than chasing after a fish, they dangle a lantern in front of their heads to lure it near to their mouth. Then they gobble up the mesmerized creature!

- In the anglerfish world, the female rules. She grows nearly 20 times bigger than the male and does all the hunting – only females have glowing lures. Puny males rely on her for everything – food, security, setting the VCR....

Dark body stays hidden in the darkness

Stomach can stretch to fit in extra-big dinners

ANGLERFISH

Home: At the darkest and scariest depths of the ocean
Size: (females) 1.2 m (4 ft)
(males) 6.3 cm (2.5 in)
Temperament: Anglerfish are eating machines – not fun-loving at all!

Trapped

Marlin didn't take "Escaping an Anglerfish lessons" in school, but he still manages to trap the anglerfish with a diver's mask. He finally learns what the mask says, but the more immediate lesson is: never taunt anglerfish!

Moonfish

No other crowd of fish enjoy hanging out together like moonfish. They are the impersonators of the sea, using their talents to amuse their friends and frighten their enemies. They once scared off a barracuda by creating the likeness of a hammerhead shark. This was great until they got invited to a feeding frenzy by a bunch of *real* hammerheads!

Marlin tells Dory he wants to finish the journey on his own, which upsets her. Fortunately, when the moonfish swim by to ask her what's wrong, Dory has already forgotten why she was crying.

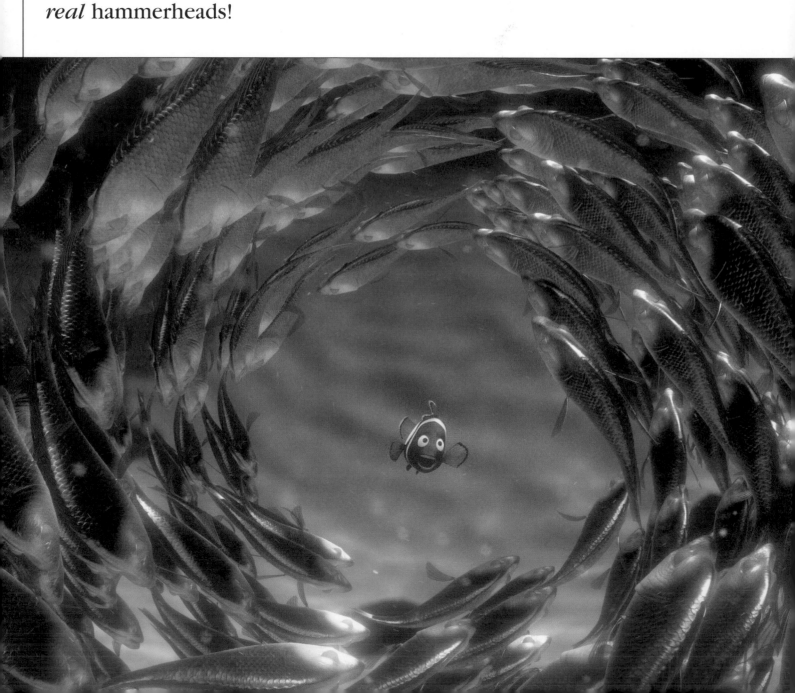

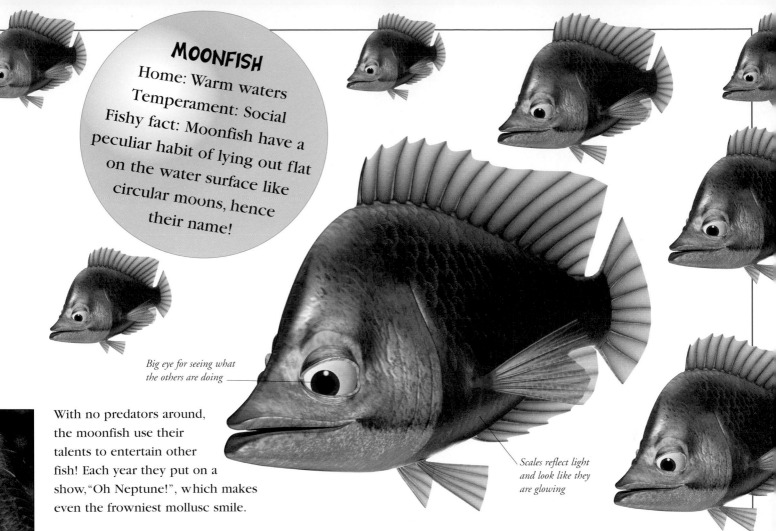

MOONFISH

Home: Warm waters
Temperament: Social
Fishy fact: Moonfish have a peculiar habit of lying out flat on the water surface like circular moons, hence their name!

Big eye for seeing what the others are doing

Scales reflect light and look like they are glowing

With no predators around, the moonfish use their talents to entertain other fish! Each year they put on a show, "Oh Neptune!", which makes even the frowniest mollusc smile.

Helping Out

At first, the moonfish play games with Marlin, making him realize what a grumpy-gills he can be sometimes. However, once the moonfish learn of Marlin and Dory's quest to find Nemo they're happy to help. They even use their talents to warn Dory to go through the big trench up ahead, not over it. Good call! Now if only she can remember their advice....

IMPRESSIONISTS

• These guys' slick routine is the result of endless practice. Giving directions is easy, but becoming an arrow to point the way is hard work.

• You want difficult? Then how about this... the moonfish do an impression of the Sydney Opera House.

• These jokers give Marlin a hard time at first because he's a clownfish. Moonfish work on their comedy hard, and are jealous of a clownfish's natural talent for being funny. Lucky Marlin didn't tell any jokes and spoil the illusion....

Jellyfish

They look like mindless blobs of jelly, meandering aimlessly through the ocean. But rumour has it that jellyfish are really the most intelligent creatures in the sea. It is claimed they spend all day stumping each other with complicated maths problems and riddles!

Round umbrella-like body moves the animals with a pumping motion

Bad Squishy!

When Dory comes across a baby jellyfish, she calls the little cutie "Squishy" and wants to claim it has her own – until it stings her! Immune to its stings, Marlin shoos the baby away, unaware that jelly mums and dads are about to surround them.

Long tentacles are covered in stingers to stun prey

Flaps called oral arms line the jellyfish's mouth and are used to eat prey

JELLYFISH TRENCH

• Nice Trench. When Dory and Marlin reach the jellyfish trench, Dory has a feeling that they should swim through it, but she cannot remember why. Unfortunately, Marlin distracts her and they swim over the trench into the jellyfish forest.

• Jellyfish are very proud of their tentacles. They grow them as long as they can, and hate having a bad tentacle day!

• Clownfish joke: How do you make a jellyfish laugh?
Answer: Give him ten tickles (tentacles)!

Making Friends

Dory thinks that jellyfish are fun. To her, they are big, gelatinous swimming trampolines. She is just too forgetful for her own good, and Marlin has to think fast if they're going to escape from the jelly-jam.

Jellies have long stinging tentacles that can stun their prey. And if the two fish friends don't escape quickly, they've had their chips!

JELLYFISH

Home: Oceans worldwide
Size: up to 2.4 m (8 ft) across
Most dangerous: Australia's box jellyfish can kill a person!
Fact: Jellyfish are not fish, but are related to sea anemones.

How do you escape from a great slobbery mass of jellyfish? The trick is to bounce on their tops, because their blobby heads don't sting. See, it always pays to use your head – or someone else's!

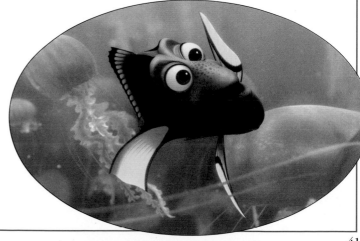

Turtles

Surfing the ocean currents, the turtles are the coolest dudes in the sea. They love to swim, bask in the sun, and ride the waves. But turtles are tough guys, too. Their shells can survive the battering of stormy seas, and they can live to incredible ages. Nemo has always wanted to know exactly how long they live. Marlin is lucky enough to meet one who is 150 years old, and still young.

Crush

A hippie turtle, Crush first decided to settle down and have kids at the super-young age (for a turtle) of 57. He is dedicated to the lifelong pursuit of riding the perfect current. He loves teaching his little dudes to surf the gnarly currents of life without wiping out.

TURTLES
Animal group: Reptiles
Home: Oceans worldwide
Size: up to 2 m (6.5 ft)
Temperament: Laid-back
Fun fact: Turtles breathe air using little nostrils on their heads.

Little dudes listen wide-eyed to Marlin's story

Back flippers are for steering

Shell is a streamlined shape to slice through the water, which means greater cruising speed

TURTLE EYES

• Turtles are attracted to bright lights. When they are born on a beach, the babies sometimes mistakenly head toward street or house lights, instead of the sea.

• Tears sometimes drop from turtles' eyes, but it doesn't mean they're unhappy. They just drink a lot of salty sea water and have to drain out the salt through their eyes.

Squirt

Crush's son, Squirt, learned to surf the waves at an early age. Like all turtles, he was born on a beach and had to make his way back to his parents in the sea, braving hungry crabs and snapping seagulls. Now he knows no fear!

Squirt's favourite food is yummy seaweed.

Worn out from escaping the jellyfish, Marlin and Dory might have ended up nowhere if Crush hadn't guided them into the E.A.C. – the East Australian Current. It's like an express highway through the ocean and ends up in the waters close to Sydney.

Strong beak for shredding seaweed to snack-size bites and snacking on the odd tough-skinned strawberry jellyfish

Strong front flippers beat the water almost like wings

Goodbye Dudes

Waterways can get a bit congested and the E.A.C. is no exception. Hundreds of turtles and sea creatures ride the E.A.C. for miles to reach their next destination. When exiting the current to Sydney, one must always follow proper exiting technique. Remember: rip it, roll it, and punch it.

The Whale

When Marlin and Dory are in need of directions to Sydney, Dory spots someone she can ask. Under the sea, distances can be deceptive... the "little fella" that she calls out to turns out to be the biggest living creature in the whole ocean – the blue whale!

Big mouth swallows up to 40 million krill (tiny shrimps) a day!

Whale Song

Attracting a whale's attention is never easy, and not always a good idea if you're a krill with career plans. But Dory's whale song does the trick – despite sounding like an upset stomach!

Long, thin flippers can be 2.4 metres (8 feet) long

Pleated grooves allow throat to expand during feeding

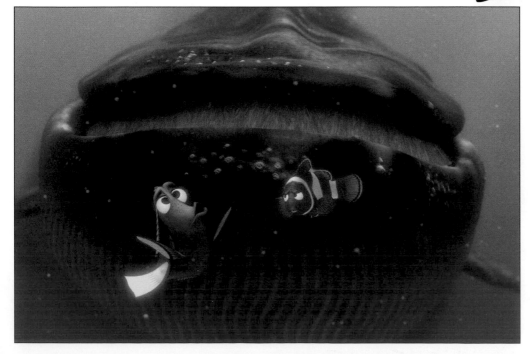

Inspection

Has the whale heard the story of Marlin and his quest to find Nemo? Maybe so, as whales have a way of picking up gossip from hundreds of kilometres away, in their extraordinary songs. While our heroes are debating their next move, the kindly leviathan cruises up and checks out his future passengers.

In the Whale

After Marlin is swallowed up by the whale, he thinks he will never get to tell Nemo how old sea turtles are, but Dory remains optimistic. She convinces Marlin that everything is going to be alright… and it is! The whale shoots them out of his blowhole and into Sydney Harbour.

Whales are big enough to swallow tugboats. But they feed on one of the tiniest creatures of the sea: krill. They strain them out of the water through their baleen, the special plates inside their mouths.

Shell helps crabs survive stormy waters and protects their insides

Bernie

Skeleton is on the outside of body

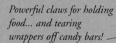

Powerful claws for holding food... and tearing wrappers off candy bars!

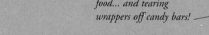

UNDER SYDNEY HARBOUR

- The Sydney Water Treatment plant is a high-tech, environmentally sound facility that processes the waste water from Sydney's homes and businesses.

- Every day, its outlet pipes release treated water into the sea. The plant is highly successful at cleaning up Sydney's wastewater, but a few hearty chunks of food, plant matter, bits of candy bar, and fish from P. Sherman's office do make it through.

- To crabs like Bernie and his pal, Baz, an outlet pipe is like a magical, never-ending, all-you-can-eat salad bar! Bernie and Baz steadfastly guard their section of the pipe, which is the best they've found in years. No wonder they only stop eating to say "Ah, sweet nectar of life."

SYDNEY WATER TREATMENT

Sydney Harbour

This is a cool place to visit if you're a human tourist, but Sydney Harbour is one mean neighbourhood for a fish. If the greedy gulls don't get you, then the peckish pelicans will! When Marlin arrives at the last stage of his quest to find Nemo, he knows that reaching his son will be no picnic. If he's not careful, he'll end up as one himself!

Is that a school of moonfish practicing their impressions? No, it's the *real* Sydney Opera House!

Harbour

Sydney Harbour teems with fishing boats, ferries, cruise ships, and sailing boats. Overlooking the harbour is Sydney Harbour Bridge, known to locals as the "Coat Hanger." Dr Sherman's boat, *The Aussie Flosser*, is moored somewhere. Will Marlin and Dory be able to find it?

Nigel the Pelican

Nigel was hatched in a nest atop Dr Sherman's office. At a young age, he wondered what happened to humans when they went inside. The minute he learned to fly, he perched at the window of the exam room to take a look. He has since become a dental expert, and discusses Phil Sherman's technique with the fish-tank occupants.

SYDNEY LIFE

- It isn't just the seagulls who are competitive in Sydney – the human population is very inventive at making a living, too. Check out some of their business cards....

- Wallaby Way is famous for its dentist practices and its shops selling sweets – somehow the two seem to encourage each other.

- Sydney Harbour is the deepest natural harbour in the world – that's why the whale who carried Nemo and Dory was able to get so close.

Dr Sherman wishes he'd got there first

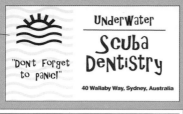

UnderWater Scuba Dentistry
"Don't Forget to panic!"
40 Wallaby Way, Sydney, Australia

CAT & DOG DENTISTRY
Dr. Smiley Teeth, DDS, Vet.
44 Wallaby Way, Sydney, Australia

Not his real name

SUGAR CANDY
Specializing in Gooey-Stick-to-Your-Teeth Goodness
41 Wallaby Way, Sydney, Australia

Nigel tried to get the other pelicans interested in dentistry, but all they wanted to do was sit on top of the local bait shop and talk about how stupid seagulls were.

Tough gullet for swallowing just about anything

Webbed feet—great for catching crumbs

Hop inside my mouth if you want to live! Nigel makes Marlin an offer he can't refuse, as he takes him to find his son.

Seagulls

"Mine! Mine! Mine!" That's the cry you'll hear from the gulls down at the harbour. Each scavenger has only one goal: get what's mine and get it now! This has earned the seagulls a bad reputation with pelicans, who think they are truly rats with wings.

LONDON, NEW YORK,
MELBOURNE, MUNICH and DELHI

ART EDITOR Guy Harvey
SENIOR EDITOR Simon Beecroft
ART DIRECTOR Mark Richards
PUBLISHING MANAGER Cynthia O'Neill Collins
CATEGORY PUBLISHER Alex Kirkham
PRODUCTION Nicola Torode
DTP DESIGNER Eric Shapland

*Peach rolls to freedom
in her plastic bag.*

First published in Great Britain in 2003 by
Dorling Kindersley Limited
80 Strand, London WC2R 0RL

03 04 05 06 07 10 9 8 7 6 5 4 3 2 1

Penguin Group

ISBN 0-7513-6761-3

A CIP record for this book is available from the British Library.

Reproduced by Media Development and Printing Ltd, UK
Printed in China by Toppan Printing Co. (Shenzen) Ltd.

Acknowledgments

DK Publishing would like to thank:
Krista Swager, Leeann Alameda, Ralph Eggleston, Ricky Nierva, Ben Butcher, Bob Peterson, Shannon Brown,
Kathleen Chanover, Clay Welch, Keith Kolder, Jeff Raymond, Desiree Mourad, Blake Tucker and the Staff at
Pixar Animation Studios; Lori Heiss, Rachel Smith, Hunter Heller, Graham Barnard, and Tim Lewis at
Disney Publishing; Roger Harris for additional artworks; Steve Parker for *Eyewitness Guides: Fish* (DK Publishing)

Discover more at
www.dk.com

MAQUILLAGES

FANTASTIQUES

MAQUILLAGES
FANTASTIQUES

par Snazaroo

Editions Fleurus, 11, rue Duguay-Trouin 75006 Paris

Collection
IDÉES-JEUX

Traduction française : Anne Le Tetour
Modèles maquillés : Lauren Cornell, Jenny Cornell,
Rebecca Kew, Florencia Sittoni, Tina Hodgkiss,
James Pena-Romero, Lyn Muscroft, Sharon Davenport,
Wilhelmina Barnden
Maquette : Pinpoint Design Co
Photographies : Roger Crump

Titre original en langue anglaise : *Fantastic faces*

SOMMAIRE

INTRODUCTION

Tous les enfants adorent se déguiser, que ce soit à la maison ou pour une fête. Le maquillage est la touche finale du costume. Mais certains maquillages peuvent suffire seuls à créer tout un monde de personnages imaginaires.

Maquillages fantastiques vous montre comment réaliser des effets spectaculaires avec de simples fards à l'eau. À l'origine, ce type de maquillage était conçu pour le théâtre, mais il est si facile à appliquer qu'on l'utilise de plus en plus pour toutes sortes d'usages.

Pour commencer

Depuis quelques années, le maquillage a beaucoup de succès dans toutes sortes de fêtes : goûters d'enfants, kermesses, carnavals... Les fards qui existent aujourd'hui permettent de créer facilement, avec un peu d'adresse et de pratique, des effets et des motifs surprenants. Dans ce livre, vous trouverez tout un choix de modèles de maquillage, des modèles simples et rapides à réaliser, et d'autres qui réclament un peu plus de soin et de réflexion.

Si vous n'avez jamais fait de maquillages, vous trouverez une description complète des techniques de base à la page 12, vous apprendrez comment appliquer le fard, étape par étape. Ensuite, vous n'aurez plus qu'à copier les modèles du livre et à suivre les instructions. Vous serez stupéfaits de constater à quel point c'est facile.

Commencez par les maquillages du chapitre « Facile et rapide » avant d'aborder les modèles un peu plus compliqués proposés dans le chapitre « Un peu plus long ».

Pour d'autres idées de maquillage, voir aux Éditions Fleurus : *Maquillages d'enfants, Coiffures et maquillages pour soirées pas ordinaires* (coll. Mille pattes) ; *Maquillages pour jouer, Maquillages de rêve* (série 112), *Maquillages Visages* (coll. Savoir créer), *Maqui-bouille* (coll. Créajeux), *Maquillages en cinq minutes* (coll. Idées Jeux).

Un dernier mot

En tant que maquilleur, vous serez sans doute très demandé dans les écoles, les ateliers de jeux, les centres de loisirs pour enfants, et dans tous les endroits où les jeunes se rassemblent. Pourquoi ne pas monter un atelier et transmettre vos connaissances? Cela peut être très amusant pour tout le monde, et vous pourriez même y trouver de bonnes idées pour de nouveaux maquillages.

Pour continuer

Une fois que vous vous serez familiarisé avec les techniques, vous pourrez faire toutes sortes de choses : peindre le corps de vos modèles, réaliser des maquillages de théâtre simples pour les pièces d'enfants et les spectacles amateurs. Dans le chapitre intitulé « Exploitez vos talents », vous trouverez des techniques d'effets spéciaux pour ajouter une fausse barbe ou une moustache, modifier la forme d'un nez ou d'un menton, ou même vieillir un visage.

Toutes ces techniques peuvent être utilisées pour mettre en relief le visage des personnages des pièces de théâtre, ou simplement pour compléter un déguisement et le rendre plus spectaculaire. Nous proposons également des exemples de personnages traditionnels qui apparaissent souvent dans les pièces d'amateurs, ainsi que des idées pour réaliser des costumes.

LE MATERIEL

Les maquilleurs ont souvent une trousse très complète. On peut rassembler son matériel petit à petit, mais il faut posséder un certain nombre d'outils de base avant de commencer à peindre.

La plupart des maquilleurs s'équipent d'une mallette à poignée, facilement transportable. Une boîte à outils en plastique fera très bien l'affaire. On en trouve facilement, et elles ont en général plusieurs compartiments permettant de ranger le maquillage.

Le maquillage

Les fards à l'eau s'utilisent facilement et sont pratiques à appliquer sur le visage des enfants.

On peut les étaler avec une éponge comme couleur de base, ou dessiner les traits fins et les détails au pinceau. On peut aussi les appliquer sur le corps ou sur les cheveux avec une éponge ou une brosse à dents sèche.

On peut mélanger les couleurs pour obtenir une plus grande palette de teintes. Les fards à l'eau sèchent très vite et ne tachent pas. Mieux encore, ils s'enlèvent facilement à l'eau et au savon, et même sur la plupart des tissus.

Ces fards existent en palettes de plusieurs couleurs ou en pots individuels. On les trouve dans les magasins de fournitures pour travaux manuels, de farces et attrapes, les grandes surfaces, parfumeries, magasins de jouets... La gamme des couleurs est très variée, et elle comprend aussi des teintes fluorescentes.

Une palette de douze couleurs suffit pour un débutant, et elle permet de copier la plupart des modèles de cet ouvrage. Si vous souhaitez réaliser beaucoup de maquillages, les pots seront sans doute plus économiques.

Pinceaux et éponges

Le mieux est d'utiliser des éponges spéciales pour le maquillage. Les éponges pour fards à l'eau sont en mousse et permettent d'obtenir une couleur de base uniforme. On peut aussi choisir des éponges triangulaires de façon à avoir à la fois un bord fin et une surface large. Les éponges en mousse expansée servent à imiter une barbe naissante, à vieillir le visage et à réaliser des effets spéciaux, comme des bleus et des égratignures. On trouve dans le commerce toute une gamme d'éponges pour le maquillage.

Il est conseillé de disposer d'une large gamme de pinceaux de maquillage de tailles différentes.

Nous utilisons des pinceaux en poil de martre et

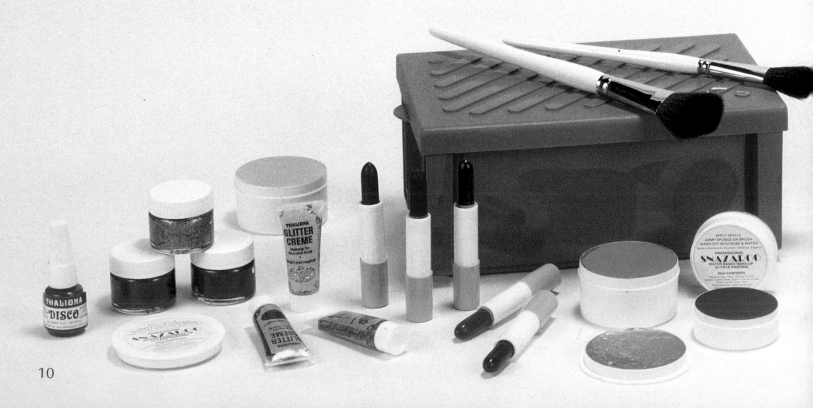

des pinceaux à poils synthétiques. Si vous êtes débutant, choisissez plutôt les pinceaux à poils synthétiques, qui sont plus maniables. Ils sont en outre beaucoup moins chers que les pinceaux en poil de martre.

Paillettes

Les paillettes sont du plus bel effet pour certains maquillages, mais utilisez exclusivement des paillettes en gel ou en poudre conçues pour le maquillage. Ne vous servez jamais des paillettes destinées à décorer des objets en papier. On trouve des paillettes de différentes couleurs, en tubes et en pots. Ne collez pas les paillettes trop près des yeux, et ne les utilisez pas pour maquiller les petits enfants.

Effets spéciaux

Pour les effets spéciaux, il existe deux matériaux de base que l'on peut utiliser de diverses manières: la cire à modeler et la filasse.

La cire à modeler est une cire solide dont on se sert pour modifier la forme de certaines parties du visage comme le nez, le front et le menton. Elle permet aussi de réaliser de fausses cicatrices et des blessures.

La filasse est utilisée pour fabriquer des barbes et des moustaches. On l'achète au mètre sous forme de tresse et on la colle sur la peau avec de la gomme arabique soluble dans l'eau.

Le noir pour noircir les dents de devant est aussi un matériau utile. On le trouve en flacon et il ressemble à du vernis à ongles. On commence par sécher les dents avec un chiffon, puis on les peint avec le produit. On peut l'enlever avec une brosse à dents et du dentifrice.

Tous ces produits à effets spéciaux conviennent aux enfants. Mais demandez conseil à votre revendeur, car il en existe toute une gamme.

Enfin, veillez toujours à avoir un récipient propre avec de l'eau pour laver vos pinceaux et vos éponges. Prévoyez une grande quantité de chiffons ou de torchons humides pour nettoyer les visages sales avant de commencer, une serviette de couleur vive pour disposer vos peintures et vos pinceaux, et un miroir.

On trouve la plupart de ces articles dans tous les bons magasins d'accessoires de théâtre, de farces et attrapes, de fournitures pour travaux manuels etc.

1 FACILE ET RAPIDE

Techniques de base

Les fards à l'eau sont faciles à appliquer. Quand vous maîtriserez les techniques de base, et que vous aurez eu le temps de vous entraîner, vous verrez que vous êtes capable de réaliser des maquillages de professionnels...

1 Vérifiez toujours que votre modèle n'a pas de problème de peau. Le maquillage à l'eau a subi des tests rigoureux et il n'est pas toxique, mais si vous avez le moindre doute, il vaut mieux appliquer un peu de fard à l'intérieur du poignet pour voir s'il ne provoque pas d'irritation.

2 Votre matériel, y compris vos pots et vos pinceaux, doit toujours être parfaitement propre. Changez l'eau régulièrement.

3 Les fards à l'eau s'appliquent directement sur une peau propre et sèche. Il n'est pas nécessaire d'appliquer une crème hydratante avant le maquillage.

4 Il vaut mieux faire asseoir votre modèle sur un tabouret haut et vous tenir debout devant lui pour le maquiller. Immobilisez votre modèle en posant la main sur sa tête.

5 Commencez toujours par appliquer la couleur de base avec une éponge à peine humide. Si l'éponge est trop mouillée, votre base risque de virer. Certaines couleurs font de meilleures bases que d'autres, essayez-en donc plusieurs. Pour obtenir un ton plus soutenu, laissez sécher la première couche, et appliquez-en ensuite une seconde.

6 Si vous utilisez un pinceau pour dessiner les détails, appliquez d'abord les couleurs claires, et travaillez à gros traits.

7 Pour les enfants, choisissez des motifs simples et rapides à réaliser. Les enfants n'aiment pas rester assis plus de cinq minutes. Si vous réalisez un maquillage pour une pièce de théâtre d'amateurs, et que votre travail doit être plus minutieux, essayez de choisir un modèle capable de rester assis plus longtemps.

Étape 1 Appliquez une base blanche avec une éponge humide.

Étape 2 Avec une éponge humide, fondez une autre couleur sur le pourtour du visage en travaillant, de l'intérieur vers l'extérieur.

Étape 3 Décorez les yeux, la bouche et les joues avec un pinceau et plusieurs couleurs.

8 Faites très attention lorsque vous peignez le tour des yeux. Les jeunes enfants qui n'ont jamais été maquillés sont parfois nerveux. Lorsque vous peignez les paupières supérieures, demandez à votre modèle de garder les yeux fermés jusqu'à ce que ce soit sec. Évitez de peindre trop près de l'œil.

Le soldat de l'espace est un modèle assez facile à réaliser pour les débutants. Ici, nous avons utilisé des fards à l'eau métallisés pour la base, et de nombreuses couleurs fluorescentes pour les zigzags. Commencez par appliquer la couleur de base avec une éponge humide. Peignez les zigzags au pinceau, et terminez par le maquillage de la bouche.

Les clowns sont toujours des maquillages faciles à réaliser pour les débutants. Vous pouvez faire de nombreux modèles avec des formes simples et des couleurs vives. Commencez toujours par appliquer une base blanche.

LE CLOWN À NŒUD PAPILLON

1 Étaler une base blanche sur tout le visage avec une éponge humide.

2 Dessiner des arcades bleues au-dessus des yeux avec un pinceau, et les entourer de rose.

3 Peindre le nez et la bouche en rouge avec un pinceau.

4 Peindre en noir le contour des yeux, du nez et de la bouche.

5 Dessiner les triangles noirs sous les yeux, et les colorier en noir.

6 Donner du relief en ajoutant un peu de fard blanc au bout du nez, du blanc et du jaune sur les joues.

VARIANTES

Les maquillages des deux clowns présentés à droite ont été réalisés de la même manière. Seuls les couleurs et les motifs changent. Entraînez-vous en réalisant les maquillages proposés ici, puis essayez d'inventer vos propres motifs.

LES RAYURES

1 Peindre les bandes bleues, jaunes et roses le long du visage avec un pinceau.

2 Utiliser un pinceau plus fin pour tracer les lignes sinueuses noires entre les bandes.

Pour ce maquillage, nous avons recouvert les cheveux avec un chapeau en caoutchouc trouvé dans un magasin d'articles de fête. Nous avons peint le chapeau avec des fards à l'eau pour prolonger les motifs du visage.

L'ÉCOLIÈRE

1 Appliquer une base jaune à l'aide d'une éponge humide.

2 Dessiner des lunettes bleues au pinceau.

3 Ajouter des taches de différentes couleurs.

4 Peindre les lèvres dans une couleur assortie.

LE PETIT CHAT

1 Appliquer une base jaune à l'aide d'une éponge.

2 Avec un pinceau, dessiner des paupières roses et les entourer de bleu avec un pinceau plus fin.

3 Peindre le bout du nez et la bouche en bleu avec un pinceau. Dessiner des zigzags bleus et roses, et des moustaches roses.

LA CITROUILLE

1 Appliquer une base orange avec une éponge humide.

2 Dessiner des dents et des triangles blancs autour des yeux avec un pinceau, et les colorier en blanc.

3 Entourer les yeux et la bouche de noir.

4 Utiliser un pinceau fin pour tracer les petites lignes noires le long du visage.

LE GENTIL CHIEN

1 Appliquer une fine couche de base blanche avec une éponge.

2 Avec une éponge, estomper un fard brun sur le pourtour du visage.

3 Avec un pinceau, peindre des taches brun clair au-dessus des yeux, sur le nez et les joues.

4 Entourer toutes les taches de brun foncé ou de noir.

5 Dessiner une langue rouge et l'entourer de noir à l'aide d'un pinceau fin.

6 Entourer les yeux de noir avec un pinceau comme sur la photographie, et dessiner une truffe, une bouche et des moustaches noires.

LE SINGE COQUIN

1 Appliquer une base jaune avec une éponge.

2 Entourer les yeux de blanc.

3 Avec un gros pinceau, dessiner la forme du visage du singe, et la colorier en brun foncé, jusqu'à la racine des cheveux.

4 Dessiner les contours de la bouche avec un pinceau, et colorier la bouche en brun foncé.

5 À l'aide d'un pinceau, dessiner des sourcils noirs et entourer les yeux.

6 Dessiner un nez noir et tracer les lignes noires sur la bouche. Donner du relief à la bouche avec des fards orange et jaunes.

Pour faire les oreilles du singe, découper deux oreilles dans du carton, et les peindre ou les recouvrir de tissu brun. Découper deux figures en forme de croissant de lune dans du feutre orange, et les coller sur les oreilles. Coller ou coudre les oreilles sur un serre-tête fin.

2 UN PEU PLUS LONG

Il est temps à présent de se jeter à l'eau. Les maquillages suivants paraissent plus difficiles, et la première fois, ils sont plus longs à réaliser. Mais avec de la pratique, vous serez de plus en plus rapide et sûr de vous.

Essayez de mémoriser quelques-uns de ces maquillages pour pouvoir les réaliser sans regarder les illustrations. Cela vous fera gagner du temps, et vous découvrirez très vite que vous pouvez réaliser certains de ces modèles en cinq minutes seulement.

SOUS LES MERS

1 Appliquer une base blanche sur le front avec une éponge humide.

2 Appliquer une base bleue autour des yeux et sur tout le reste du visage avec une éponge humide.

3 Dessiner des vagues bleues et peindre les lèvres en bleu avec un pinceau.

4 Dessiner une pieuvre, une étoile de mer, un crabe et des poissons.

Essayez de réaliser le même maquillage avec des dessins de votre choix. Vous pouvez dessiner une ancre, une épave de bateau, un coffre à trésor ou un hippocampe par exemple. Faites d'abord des croquis de chaque sujet sur une feuille de papier, jusqu'à ce que vous soyez satisfait de la forme et de la couleur.

SUR LA PLAGE

1   Appliquer une base jaune sur la moitié inférieure du visage avec une éponge humide.

2   Étaler du fard bleu sur le reste du visage avec une éponge humide.

3   Avec la même éponge, estomper un peu de fard blanc sur le front pour figurer un ciel brumeux.

4   Avec un pinceau, dessiner des palmiers avec des troncs brun foncé, et des feuilles de deux teintes de vert différents.

5   Souligner les arbres avec un peu de fard blanc et un pinceau fin.

6   Avec le même pinceau, dessiner des vagues blanches et bleu foncé sur les joues.

7   À l'aide d'un pinceau fin, dessiner les oiseaux noirs et l'étoile de mer rouge.

Vous pouvez remplacer ces motifs par une foule d'autres objets marins. Pourquoi ne pas essayer de dessiner des chaises longues, des cornets de glace, des seaux et des pelles, des algues et des bateaux par exemple ?

Maquillages de fêtes

SCHÉHÉRAZADE

1   Appliquer du blush rose ordinaire sur les joues.

2   Avec un pinceau et du fard bleu, dessiner le motif au-dessus de l'œil et la ligne sinueuse sous l'œil.

3   Dessiner le motif doré et la ligne sinueuse sous l'œil.

4   Dessiner la chaîne dorée avec un pinceau fin, puis les diamants bleus.

5   Coller les paillettes et l'étoile avec de la gomme arabique ou du gel à cheveux.

6   Peindre les lèvres en rouge et les faire briller avec du gel pailleté doré.

LE PAPILLON

1   Appliquer une base blanche avec une éponge.

2   Utiliser une éponge pour fondre du rose et du jaune sur le pourtour du visage.

3   À l'aide d'un pinceau fin, dessiner la forme du papillon en violet, et colorier avec des couleurs pastel.

4   Colorier le nez en rose et les lèvres en rouge.

5   Dessiner des antennes avec un pinceau fin.

6   Décorer avec du gel pailleté rose.

LE GUERRIER

1 Avec un pinceau assez gros, dessiner tous les motifs jaunes.

2 Peindre tous les motifs roses avec un pinceau.

3 Dessiner tous les motifs verts.

4 Dessiner ensuite tous les motifs blancs.

5 Utiliser un pinceau fin pour dessiner tous les détails noirs sur les formes de couleur.

6 Peindre enfin le reste du visage en noir avec un gros pinceau.

LE CHAT EN PELUCHE

1 Appliquer une base rose sur tout le visage avec une éponge humide.

2 Entourer les yeux de brun avec un pinceau.

3 Souligner les yeux de noir avec un pinceau.

4 Avec un pinceau fin, dessiner les petites touffes de poils blancs, bruns et roses.

5 Dessiner une truffe et des moustaches noires, peindre les lèvres en noir.

LE PERROQUET

1 Appliquer une base argentée avec une éponge humide, puis fondre un peu de bleu clair ou de violet.

2 Avec une éponge, estomper du fard orange tout autour du visage.

3 Dessiner les motifs violets et roses autour des yeux avec un pinceau. Dessiner des sourcils roses.

4 Peindre la bouche en jaune avec un pinceau.

5 Avec un pinceau fin, entourer de noir les yeux, les sourcils et la bouche. Dessiner les motifs noirs du nez et de la bouche. Donner du relief aux yeux avec du fard blanc.

6 Peindre maintenant les plumes de toutes les couleurs, tout autour du visage, en traçant des petits traits avec un pinceau fin.

Sur les peaux plus foncées, certaines couleurs de base sont moins intenses. Appliquer alors le fard en plusieurs couches, sans mouiller l'éponge entre les couches.

FAUSSES FOURRURES

Voilà un exemple de deux maquillages réalisés avec des motifs presque identiques. En changeant simplement la couleur de base, nous avons créé une panthère rose et un léopard.

1 Appliquer une base rose ou brun clair avec une éponge humide.

2 Dessiner les yeux, le nez et la bouche avec du fard noir et un pinceau.

3 Avec un pinceau, dessiner les moustaches blanches et souligner les yeux avec du fard blanc. Pour le léopard, souligner le nez et les moustaches avec du fard rose.

4 Dessiner les moustaches noires au pinceau fin.

5 Décorer avec de petites taches noires comme sur la photo. On peut créer différents modèles de félins en peignant des raies, des zigzags, ou même en dessinant par petits coups de pinceau pour faire une fourrure plus réaliste.

LE BONBON ROSE

1 Appliquer une base rose avec une éponge humide.

2 Avec un petit pinceau, dessiner les yeux et les lèvres en bleu.

3 Avec un plus gros pinceau, peindre le motif violet en travers du visage.

4 Avec un pinceau fin, entourer de blanc les yeux et le motif violet. Ajouter des touches de rose et de violet sur l'autre joue.

5 Décorer avec du gel pailleté.

L'ARLEQUIN

1 Peindre le masque bleu avec un pinceau.

2 Entourez le masque de fard noir avec un pinceau.

3 Avec un pinceau fin et du fard blanc, tracer les lignes de repère pour le motif à losanges.

4 Colorier les losanges avec un pinceau et des fards de différentes couleurs.

5 Délimiter les losanges avec du fard noir et un pinceau fin.

LA CHAUVE-SOURIS

1   Appliquer une base bleue avec une éponge humide.

2   Estomper un peu de fard blanc au-dessus des sourcils avec une éponge.

3   Dessiner la chauve-souris avec un gros pinceau, et la colorier en noir.

4   Avec un pinceau fin, peindre les lèvres en noir, et dessiner des oiseaux noirs et une lune jaune.

5   Avec un pinceau fin, dessiner les yeux de la chauve-souris et lui donner du relief avec du fard blanc.

6   Demander au modèle de regarder en l'air, et cerner ses yeux de rouge à l'aide d'un pinceau fin.

LE PUNK ▶

1 Appliquer une base jaune avec une éponge humide.

2 Dessiner un masque autour des yeux et en travers du nez avec du vert fluorescent.

3 Avec un pinceau, entourer les yeux de rouge fluorescent et prolonger le motif sur une joue.

4 Colorier le reste du masque et les lèvres en bleu foncé.

5 Dessiner les clous sur les oreilles et autour du cou avec un pinceau.

La perruque de mohican se trouve dans les magasins de farces et attrapes et se colle sur les côtés avec de la gomme arabique. Peindre le motif sur les parties chauves du postiche.

◀ ROBOT

1 Appliquer une base argentée avec une éponge humide.

2 Dessiner et colorier le masque noir avec un pinceau.

3 Tracer les lignes noires avec un pinceau plus fin.

4 Décorer avec des taches de couleur et du gel pailleté, et colorier les lèvres en bleu.

5 Teindre les cheveux en vert avec du maquillage à l'eau.

3 MAQUILLAGE DU CORPS

Vous pouvez décorer le corps de votre modèle avec tous les motifs que vous imaginez, des étoiles, des bandes, des lignes sinueuses ou de grandes formes géométriques. Tout dépend de l'effet que vous souhaitez obtenir. Le maquillage du corps est parfois utile pour les pièces de théâtre scolaires et les spectacles de danse, lorsque les costumes seraient trop difficiles à réaliser ou risqueraient d'entraver les mouvements. Vous pouvez aussi dessiner le même motif sur des tissus élastiques. Prévoyez toujours assez de temps et veillez à ce que la pièce soit bien chauffée.

LES ANIMAUX EXOTIQUES
Les trois modèles présentés ci-dessous illustrent bien les effets spectaculaires que l'on peut obtenir avec des motifs assez simples.

La couleur de base
Appliquer toujours la base avec une éponge. Recouvrir toutes les parties visibles du corps, y compris les pieds, les mains et les aisselles. On peut aussi appliquer la teinture des cheveux avec une éponge.

Le motif
Dessiner d'abord les motifs du visage avec un pinceau. Sur le corps, tracer de grands motifs colorés avec un pinceau fin, et les colorier avec un plus gros pinceau. Ajouter les détails plus petits avec un pinceau fin. Pour les maquillages de spectacle, choisir de grands motifs qui se voient de loin.

Pour enlever la peinture, il suffit de prendre une douche ou un bain chaud, avec du savon.

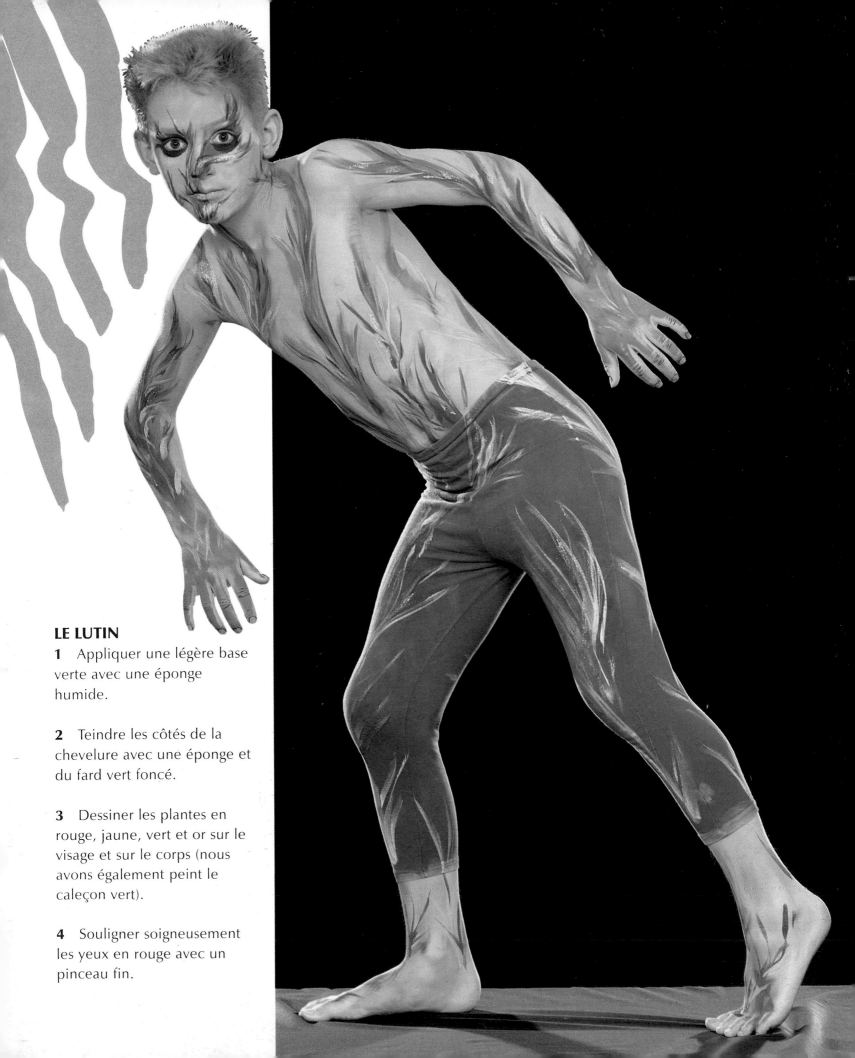

LE LUTIN

1 Appliquer une légère base verte avec une éponge humide.

2 Teindre les côtés de la chevelure avec une éponge et du fard vert foncé.

3 Dessiner les plantes en rouge, jaune, vert et or sur le visage et sur le corps (nous avons également peint le caleçon vert).

4 Souligner soigneusement les yeux en rouge avec un pinceau fin.

Décorations

Ces maquillages sont plus faciles et plus rapides à réaliser qu'un maquillage complet du corps mais ils sont tout aussi amusants.

VACANCES D'ÉTÉ

Nous avons d'abord dessiné le bikini, que nous avons colorié. Nous avons peint les pois jaunes, puis la dentelle rouge, et nous avons enfin entouré de noir le maillot, les bretelles, la dentelle et les pois.

LA LICORNE

Appliquer une base bleue sur le dos et les bras avec une éponge. Tamponner le milieu du dos avec du fard blanc pour un effet de brume. Dessiner la tête de la licorne avec un pinceau fin et la colorier en rose. Lui donner du relief avec du fard jaune. Dessiner la corne et la crinière en blanc. Si nécessaire, repasser les parties blanches. Souligner la tête et la corne avec du fard noir. Dessiner les yeux, le cou et les détails avec du fard noir.

A gauche : sur la poitrine, dessiner des nuages blancs et un ciel bleu avec une éponge. Peindre le sable avec une éponge et du fard brun clair. Dessiner le château de sable en brun foncé, et souligner les créneaux en noir. Ajouter enfin le soleil et les autres détails.

SUR LE MUR

Sur la poitrine, appliquer une base bleu clair pour le ciel. Avec une éponge, estomper un peu de fard blanc pour figurer la brume. Étaler une base orange pour le mur de briques. Dessiner le visage et les mains du personnage avec un gros pinceau. Entourer son visage de noir et dessiner les yeux et la boucle de cheveux. Peindre les briques en brun foncé. Enfin, dessiner le nez et la bouche avec du fard rose.

33

Petits motifs

On peut dessiner de petites images sur le visage, mais aussi sur certaines parties du corps. Le crocodile présenté ci-dessous, par exemple, est amusant pour une visite au zoo. Les petits motifs sont très rapides à réaliser, et ont beaucoup de succès dans les fêtes et les excursions d'enfants. On peut aussi dessiner l'emblème d'un club pour aller voir un match de football.

Les motifs à thèmes sont faciles à faire. Pour Noël, dessiner des bonhommes de neige, du houx, des pères Noël et des sapins. Pour Pâques, on peut représenter des cloches, des poules, des œufs et des fleurs printanières. Le jour de la Saint-Valentin, on peut peindre des roses, des cœurs...

Ayez toujours sur vous un petit carnet pour copier tout ce que vous voyez. Demandez aussi des idées aux enfants, et laissez-les essayer de peindre eux-mêmes leurs propres motifs. Les enfants adorent se maquiller les pieds. Avec un déguisement les dessins de chaussons de danse et de sandales seront du plus bel effet !

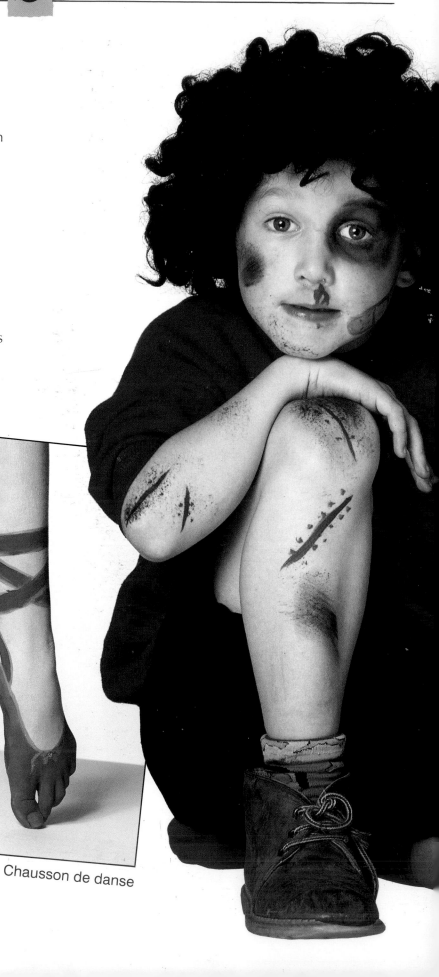

Chausson de danse

Crocodile

Pour vous amuser, essayez certains motifs comme les bleus, les yeux pochés, les écorchures et les cicatrices. Les enfants adorent faire croire qu'ils sont vraiment blessés. Pour un œil poché, utilisez une éponge à peine humide et étaler du fard noir tout autour de l'œil. Ajoutez un peu de rouge, de jaune et de violet pour un bleu plus réaliste. Dessinez des écorchures et des égratignures avec une éponge et des fards rouges et noirs mélangés. Pour les cicatrices, tracez une fine ligne rouge, et ajoutez de petites taches rouges de chaque côté.

Sandale exotique

Fruit au-dessus du genou

Poignets et bague

Lutin de Noël

Bonhomme de neige

4 EXPLOITEZ VOS TALENTS

Maintenant que vous avez réalisé vos premiers maquillages, vos talents ne tarderont pas à être mis à contribution par votre entourage. Vous aurez beaucoup de succès dans les fêtes municipales et scolaires, dans les carnavals et les goûters d'enfants, les kermesses etc. Les écoles et les clubs de théâtre peuvent trouver que le maquillage est plus pratique pour leurs représentations. Dans ce chapitre, nous vous présentons des maquillages et des effets spéciaux simples pour le théâtre.

Personnages et costumes

On commet souvent l'erreur de ne se préoccuper des maquillages et des costumes qu'au dernier moment. Pensez à proposer vos services dès que vous apprenez que votre enfant, ou l'école du quartier, prépare une pièce. Renseignez-vous sur les personnages, et sur leur nombre. Prenez contact avec les autres parents et bénévoles et demandez-leur de fournir des matières premières pour les déguisements : vieux vêtements, bouts de tissu, accessoires.... Faites le tour des braderies, des puces et fouillez aussi votre propre garde-robe.

Commencez à imaginer le maquillage des personnages le plus tôt possible. Tenez compte du temps dont les acteurs disposent pour changer de costume et de maquillage entre les scènes. Demandez aux professeurs l'autorisation de tester le maquillage des personnages principaux avant la répétition en costumes, et faites une liste de tout le matériel dont vous aurez besoin. Les répétitions en costumes ont toujours lieu un ou deux jours avant le spectacle, et vous n'aurez donc pas le temps de modifier vos maquillages.

Conseils supplémentaires

Si vous êtes également chargé d'habiller les enfants, apportez une grande quantité d'épingles de sûreté, des aiguilles, du fil, des ciseaux et du ruban adhésif.

Si vous les coiffez, vous aurez besoin de brosses à cheveux, de peignes, d'élastiques, de pinces à cheveux, de laque et de gel coiffant.

Le méchant mexicain présenté ci-contre est un exemple de maquillage que l'on peut réaliser avec un peu de pratique. Les trucs utilisés pour vieillir le visage sont expliqués aux pages suivantes.

Effets spéciaux simples **4**

Tout le monde a envie de connaître les méthodes de maquillage cinématographique. Vous trouverez ici quelques exemples du matériel et des techniques utilisés pour les effets spéciaux.

On trouve maintenant très facilement tous les fards nécessaires à la réalisation d'effets spéciaux, mais certains ne peuvent pas être utilisés pour le maquillage des enfants. Méfiez-vous des produits bon marché. Demandez conseil au vendeur pour savoir si le produit est adapté à l'usage que vous voulez en faire.

Pour paraître plus vieux

Le maquillage est une discipline très facile, mais qui demande une certaine technique si l'on veut créer des personnages plus réalistes. Les techniques de vieillissement sont pour cela très formatrices. Ce sont les premières techniques que l'on enseigne dans les écoles de maquillage car elles exigent une connaissance de l'ossature du visage, des ombres et de la mise en relief. Ce n'est pas très difficile, et cela vous aidera à créer des personnages plus « réalistes », les sorcières, les démons et les vieillards par exemple.

Commencez par vous regarder dans un miroir et étudiez votre visage. Touchez les creux : vos orbites, vos tempes, et le creux de vos joues. Touchez ensuite les endroits où les os sont plus saillants comme le front, le nez, les pommettes, et le menton. Il faut ombrer les creux et accentuez les reliefs.

À mesure que l'on vieillit, des rides apparaissent sur le visage. Demandez à votre modèle de faire la grimace pour vous montrer les endroits où vous devrez dessiner les rides. Exercez-vous plusieurs fois sur votre propre visage.

Pour vieillir un visage, recouvrez-le d'une base gris clair avec une éponge légèrement humide. Colorez les zones comme les orbites, les tempes et le creux des joues avec du fard gris foncé. Dessinez ensuite les rides en gris foncé avec un pinceau fin. Eclaircissez les endroits plus saillants comme les joues, le front et le nez, en étalant un peu de fard blanc sec avec le doigt. Peignez les sourcils en blanc avec un pinceau. Appliquez un peu de fard rouge sous les yeux et tracez des lignes rouges sur les lèvres. Imitez la couperose sur les joues avec une éponge et du fard rouge.

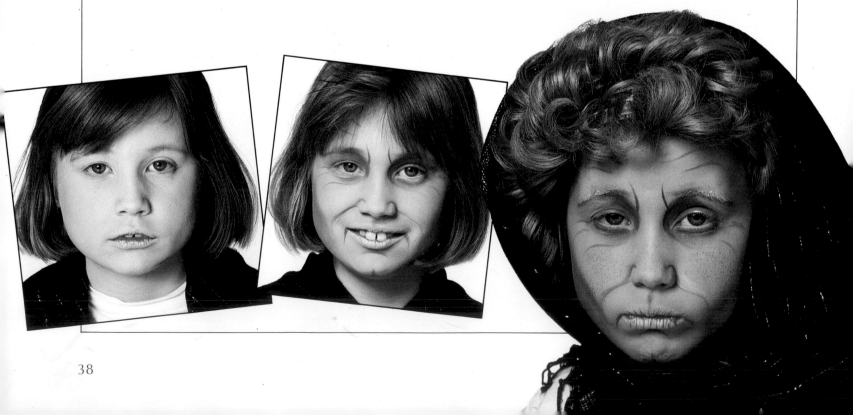

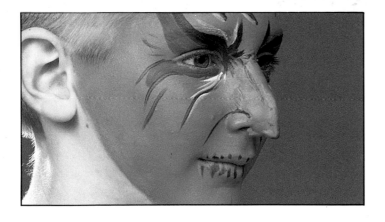

Cire à modeler

On peut utiliser de la cire à modeler pour modifier la forme d'un visage. Cette cire est solide, et il faut la ramollir. Elle adhère à la peau et reste souple.

1 Retirer la cire de son pot à l'aide d'une spatule en plastique ou d'un outil spécial. Ne pas en utiliser beaucoup au début. Il vaut mieux appliquer plusieurs couches pour obtenir la forme souhaitée. Rouler un morceau de cire entre les doigts pour la ramollir et pouvoir la travailler.

2 Modeler la cire sur la partie du visage que l'on souhaite modifier. Ici, nous avons modelé et allongé le nez.

3 Une fois qu'on a obtenu la forme souhaitée, peindre la cire pour qu'elle se confonde avec la couleur du reste du visage. Pour retirer la cire, la gratter avec les doigts et appliquer un peu de crème à démaquiller. Oter les résidus collants sur les doigts avec un peu de talc.

Filasse

La filasse se vend en tresse et au mètre. On en trouve de différentes couleurs et on la colle sur la peau avec de la gomme arabique soluble dans l'eau. Pour faire une barbe:

1 Découper la filasse à la bonne longueur, et séparer les fibres. Préparer l'équivalent de quatre ou cinq couches de 5 à 8 cm de large.

2 Appliquer la gomme arabique sur le menton, en veillant à bien recouvrir le dessous du menton. Poser la première couche de filasse sous le menton. Ne pas coller trop de filasse à plat sur le menton.

3 Appliquer la couche suivante de la même façon, en travaillant vers l'avant du menton. Continuer jusqu'à obtenir l'effet souhaité. On peut couper le bout de la barbe ou la laisser éparse. Pour l'enlever, tirer simplement sur la barbe et retirer la gomme avec de l'eau.

Aujourd'hui, on utilise les fards à l'eau dans de nombreuses écoles de danse. Ils plaisent beaucoup aux danseurs en raison de leurs couleurs vives et de leur gamme de teintes fluorescentes et métallisées.

Maquillage de ballet

Pour le maquillage des ballerines présenté ici, nous avons utilisé un fond de teint compact qui s'enlève aussi à l'eau et au savon, et existe en plusieurs teintes. On peut l'appliquer avec une éponge, comme les fards à l'eau.

Le maquillage des yeux doit toujours être spectaculaire. Ici, nous avons utilisé un fard à l'eau d'un bleu profond qui s'harmonise avec les costumes des danseuses, et nous avons souligné le regard avec du noir. On peut masquer les sourcils sous le maquillage à l'aide d'une fine couche de cire à modeler ou d'une cire spéciale pour les sourcils qu'on trouve dans les magasins d'accessoires de théâtre.

Nous avons utilisé un rouge à lèvres de couleur vive, car les fards à l'eau ne sont pas assez résistants pour tenir jusqu'à la fin de la représentation, et ils risquent de couler si les danseurs transpirent sous les projecteurs.

Vous trouverez ici quelques exemples de personnages traditionnels qui apparaissent souvent dans les pièces de théâtre d'amateurs.

LES ROIS MAGES

Premier roi mage : appliquer une base brun foncé sur le visage, les mains et les pieds du modèle. Dessiner des sourcils noirs, une moustache noire et une petite barbe noire.

Second roi mage : appliquer une base brune plus claire, maquiller les sourcils en noir et dessiner une petite barbe.

Troisième roi mage : appliquer une base brun clair. Souligner les yeux. Confectionner une barbe en filasse.

Le costume de base est une tunique à laquelle on ajoute des capes et des chapeaux différents.

L'ANGE

Pour ce maquillage, appliquer une base blanche sur le visage avec une éponge, et décorer les yeux avec du fard doré et du gel pailleté, en veillant à ne pas appliquer le gel trop près de l'œil. Sur les joues et les lèvres, nous avons utilisé du fard à joues et du rouge à lèvres roses ordinaires.

La base du costume est une tunique blanche. Les ailes sont découpées dans du carton et recouvertes de papier doré. Passer une ficelle dorée au centre des ailes, la croiser sur le ventre du modèle, et la fixer autour de la taille. L'auréole est confectionnée à partir de deux cercles en fil de fer recouverts d'une guirlande de Noël.

LA FÉE

Appliquer une base blanche avec une éponge et estomper un peu de rose sur le pourtour du visage. Entourer les yeux de motifs roses et violets, et colorer la bouche avec du rouge à lèvres rose.

Pour le costume, décorer un justaucorps blanc avec des cheveux d'ange (on peut les coudre ou les coller). Confectionner une jupe circulaire en superposant quatre ou cinq couches de tulle, cousues sur un élastique fixé à la taille. On peut orner la jupe de cheveux d'ange ou de coton.

Le diadème, la baguette et les ailes de la fée peuvent se trouver dans un magasin d'articles de fête, mais vous pouvez les réaliser vous-même avec du carton et du papier aluminium.

LE VAGABOND

Appliquer une base brun clair sur le visage. Utiliser une éponge pour parsemer le menton de fard noir et imiter une barbe naissante. Noircir les sourcils et utiliser du noir spécial acheté dans un magasin d'accessoires de théâtre pour dissimuler quelques dents de devant. Avec une éponge, appliquer de la peinture blanche sur les cheveux pour qu'ils aient l'air gris. Noircir les ongles avec du fard noir.

Essayez de trouver un vieux costume que vous laverez pour le déformer. Coudre des pièces de couleurs vives. Avec un peu de chance, vous trouverez un vieux chapeau haut-de-forme, mais n'importe quel vieux chapeau peut faire l'affaire. Ajouter une écharpe de couleur vive et une vieille chemise.

LA COMMÈRE

On a créé ici le maquillage d'un personnage de théâtre traditionnel. Appliquer une base blanche sur le visage. Dessiner de grands yeux bleus, des joues rouges et des lèvres rondes et charnues. Avec un pinceau fin, peindre des sourcils et des cils noirs.

Pour le costume, utilisez une robe d'été à laquelle vous ajouterez un volant rouge en bas. La ceinture et les godets de la robe sont réalisés dans un tissu de doublure rouge.

Pour confectionner la ceinture, mesurer d'abord le tour de taille du modèle. Découper deux grandes longueurs de tissus, en prévoyant un peu plus pour les relier dans le dos. Assembler les deux morceaux sur l'envers, et retourner l'ouvrage. Découper deux grands carrés de tissu pour les godets. Faire un ourlet sur un côté de chaque morceau de tissu et faufiler les autres côtés. Fixer les bords ourlés des godets à la ceinture de la robe, en laissant un espace sur le ventre. Décorer la ceinture avec des rubans et la fixer dans le dos avec des attaches velcro.

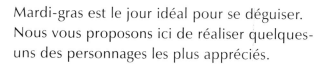

LES PETITS DÉMONS

On peut réaliser des têtes de monstres avec toute une variété de couleurs et de motifs. Demandez à vos petits monstres d'imaginer leur propre maquillage. Le monstre vert présenté ici plaît à la plupart des enfants. On peut utiliser de la peinture fluorescente rouge autour des yeux pour les faire briller dans l'obscurité! Le diable rouge est un maquillage très facile à réaliser. Pour un garçon, ajoutez une barbe ou une moustache peintes.

Mardi-gras est le jour idéal pour se déguiser. Nous vous proposons ici de réaliser quelques-uns des personnages les plus appréciés.

LA TÊTE DE MORT

Appliquer une base blanche avec une éponge. Estomper un peu de fard vert clair sur la bouche avec une éponge. Entourer les yeux de noir à l'aide d'un pinceau et noircir le bout du nez. Avec un pinceau fin, dessiner les sourcils, la fissure en travers du front, et les dents.

Pour le costume, confectionner une longue cape à capuche avec un tissu noir. On peut aussi peindre la silhouette d'un squelette blanc sur un T-shirt noir à manches longues et un caleçon noir, avec du fard blanc à l'eau. Recouvrir alors les cheveux avec une capuche élastique confectionnée à partir d'un bas noir épais.

LA SORCIÈRE ▶

Appliquer une base bleu clair sur le visage avec une éponge. Dessiner des lèvres et des yeux violets. Entourer les yeux d'une fine ligne noire. Utiliser du noir spécial pour masquer quelques dents. On peut peindre des motifs sur les joues. Essayez de dessiner des chauves-souris, des toiles d'araignée, des chaudrons, des lunes et des étoiles. Le chapeau et la perruque se trouvent dans des magasins d'articles de fête. Mais on peut confectionner soi-même le chapeau avec du carton. La jupe, le corsage et la cape sont faits avec de la toile de coton noire.

LA VIEILLE SORCIÈRE

Avec une éponge, appliquer une base vert clair sur le visage. Dessiner de grands yeux vert foncé avec un pinceau. Dessiner les rides du front, le creux des joues et le tour de la bouche en vert. Entourer les yeux, et la bouche de noir et souligner les joues avec du fard noir. On peut ajouter du fard blanc pour mettre en relief le centre du nez, les pommettes, le dessus des sourcils et le menton. Souligner les yeux avec un trait rouge fin, en demandant au modèle de regarder en l'air.

45

Diriger un atelier

Le maquillage est un moyen idéal de faire entrer les enfants dans le monde de l'imaginaire et de la création théâtrale. L'utilisation très simple des fards à l'eau permet une initiation facile. Les enfants pourront eux-mêmes concevoir et réaliser les maquillages de leurs pièces de théâtre. Si vous décidez d'animer un atelier pour enfants, voici quelques conseils.

Organisation

Si vous décidez de diriger un atelier, nous vous conseillons de n'y accepter les enfants qu'à partir de sept ans. Veillez à ce que tous les participants aient une vieille chemise ou un tablier. Il ne faut pas que les séances durent trop longtemps, une heure suffit largement.

Il faut impérativement commencer par présenter les techniques de base aux enfants. Réalisez d'abord un maquillage complet. Vous verrez que les enfants ne s'ennuient pas, s'ils ne choisissent pas de modèles trop longs ni trop complexes.

Dites-leur bien que l'éponge ne doit pas être trop mouillée quand on applique la couleur de base, sinon, vous risquez de passer la séance à essuyer des maquillages qui coulent. Montrez-leur comment appliquer les fards avec un pinceau, par petites touches, et non pas en frottant le pinceau sur le visage. Puis, laissez-les se débrouiller tout seuls.

Faites travailler les enfants par deux, pour que chacun puisse réaliser le maquillage de son partenaire. Commencez par les aider en les conseillant sur le choix des couleurs qui conviennent au maquillage souhaité. Pendant ce temps, les autres enfants peuvent réfléchir à leur maquillage. Enfin, laissez-les rentrer chez eux le visage maquillé.

Quand les enfants se sont familiarisés avec les techniques de base, faites-les travailler à un projet. Ils peuvent par exemple écrire une pièce dont ils concevront les maquillages.